C000071861

Pascal Lainé

Plutôt deux fois qu'une

Mercure de France

CHAPITRE I

Suzy était veuve depuis vingt ans, autant dire depuis toujours. Un certain Fernand Point était monté dans le même compartiment qu'elle en gare de Bordeaux, s'était présenté un peu avant Poitiers, demandait sa main entre Blois et Orléans, et l'épousait quinze jours plus tard à Paris. Ils avaient conçu leur enfant dans le wagon-lit qui les emmenait à Venise, où Fernand mourut une semaine plus tard sans avoir pu reprendre le train de Bordeaux.

Avant même de l'avoir vue, la famille du défunt détesta cette Parisienne sans le sou et ramassée sur le bitume des quais de gare, qui ne sont au juste que des sortes de trottoir. Et quand Suzy vint à Bordeaux pour y recueillir et vendre le même jour les vingt hectares de vignes de son héritage, les cousins Point, les tantes, les oncles Point, et les Lagarde qui leur sont alliés, s'écrièrent que la Parisienne leur avait empoisonné ce bon Fernand !

La police ne prêta pas grande attention à ces clameurs qui sentaient un peu le bouchon, non plus qu'aux lettres de délation qu'on fit tenir au préfet, et qui étaient manifestement du même cru. Il fallut bien laisser le corps du pauvre Fernand vieillir tranquillement dans le caveau de famille du petit cimetière de Pomerol. Mais dix ans plus tard on murmurait encore, chez les Point, que cette Suzy avait chaptalisé le malheureux à l'arsenic.

Celle-ci rentra donc à Paris munie d'un chèque qui la dispensait de se remarier et de faire courir à nouveau les ragots. La petite Cécile naquit quelques mois plus tard avec les grands yeux bleus de Suzy, le sourire de Suzy, et, déjà, les rondeurs de Suzy, qui était d'un embonpoint aimable et pétillant. Le seul trait que le nouveau-né semblait avoir hérité de la famille du défunt père fut une formidable jaunisse.

Comme c'était la belle saison, Suzy emmenait chaque jour le bébé dans la forêt de Saint-Germain, dans le bois de Chaville, ou sur les bords de la Seine. C'est en se promenant ainsi qu'elle découvrit les « Glycines », une vaste demeure au milieu d'un jardin qui descendait en pente douce jusqu'à la berge du fleuve. Il y avait des volets verts, une tonnelle, une petite barque pour aller rêver sur l'eau, et surtout une superbe glycine, alors tout en fleur, à laquelle la propriété devait son nom.

Suzy était de ces heureux mortels qui n'hésitent jamais avant de se décider, qui ne regrettent rien ensuite, et à qui la chance tient lieu de réflexion. « Les Glycines » étaient à vendre. Elle emménagea quelques semaines plus tard, et fit installer un portique, avec une escarpolette, des anneaux et une corde à nœuds, alors que bébé-Cécile n'avait pas percé sa première dent : mais le propre de l'imprévoyance n'est-il pas de se figurer seulement ses plaisirs ?

« Les Glycines » étaient une demeure belle et vaste, mais trop vaste, justement. Neuf chambres, un grand salon, un petit salon. La jeune femme connut bientôt la solitude, ou presque, des monarques en leur palais. Et puis il fallut refaire la toiture, le chauffage central, les trois salles de bains, et Suzy s'avisa qu'il ne lui resterait bientôt plus rien de l'héritage trouvé naguère dans le rapide Bordeaux-Paris. Il lui fallait songer à gagner sa vie.

N'écoutant une fois de plus que son désir, qu'elle appelait aussi « sa bonne étoile », et songeant qu'il lui serait agréable d'avoir un peu de compagnie, Suzy décida que « Les Glycines » deviendraient une « pension de famille » : elle réunirait autour d'elle une demi-douzaine d'amis, pas plus, qui sauraient jouer au bridge, qui aimeraient la musique de Messager ou d'Offenbach, qui pousseraient quelquefois l'escarpolette de la petite Cécile, et qui paieraient ponctuellement leur chambre et leurs repas.

M. Linz, antiquaire, spécialiste de l'art précolombien, fut son premier pensionnaire et depuis vingt ans il demeurait fidèle aux « Glycines ». M. Linz ne parlait pas beaucoup et ne jouait pas au bridge, mais il était très bien élevé, remettait sa petite enveloppe un jour ou deux avant le terme, et demandait toujours aux dames la permission d'allumer son cigare. Quand il était aux « Glycines » il passait le plus clair de son temps dans sa chambre, où s'accumulait une étonnante collection de figurines bizarres et grimaçantes, de terre cuite, de jade, et quelquefois d'or pur. Deux ou trois fois l'an, il s'en allait pour quelques jours, emportant certains de ses bibelots dans une grosse valise noire. Suzy réservait son billet d'avion pour Genève ou New York, et disait que M. Linz avait une façon bien agréable de gagner sa vie. Certes, il arrivait parfois qu'un client ou qu'un marchand étranger, de passage pour quelques heures à Paris, l'appelât de l'aéroport et voulût le voir sur-le-champ, mais pour le reste, M. Linz menait une existence des plus régulières. Discret, silencieux, et d'une courtoisie presque désuète, il évoquait un retraité s'adonnant à son innocente manie de collectionneur.

Cette « manie » toutefois, et les idoles aux figures tourmentées qu'il gardait dans une petite armoire vitrée l'avaient conduit à faire blinder à ses frais les portes des deux chambres qu'il occupa successivement. Il en gardait toujours la clé sur lui, et la femme de ménage ne pouvait retaper le lit et faire les poussières qu'en sa présence.

Peu après l'arrivée de ce monsieur si bien, qui donnait à sa maison un cachet de distinction, Suzy put se flatter aussi d'accueillir une célébrité de l'écran, la belle Lola Poor, celle qu'on avait surnommée dans les années cinquante la Marlène Dietrich française. L'inoubliable héroïne de *La Tigresse du Bengale* et de *La Prêtresse du Dieu-Soleil,* était alors dans tout l'éclat de sa beauté. Elle avait brutalement interrompu sa carrière quelques années plus tôt, après la mort de son mari, l'acteur Jean Maréchal, mais les journaux parlaient encore d'elle, et les photographes parvenaient parfois à saisir, de très loin, la silhouette solitaire et floue de l'inconsolable qui avait fui à tout jamais les caméras et l'adoration des foules. Lola Poor trouva aux « Glycines » le refuge inviolable qu'elle cherchait depuis des années, tandis que les « paparazzi » continuaient de traquer son fantôme d'un palace à l'autre, entre Rome, Los Angeles et la Côte d'Azur. Grande, sculpturale, brune à la peau laiteuse, une douceur lointaine dans le regard, Lola Poor demandait son thé citron d'une voix si chaude et caressante que le salon des « Glycines », avec son papier à fleurs, ses napperons, ses chaises rustiques, son gros téléviseur, s'emplissait soudain de mystère et de sensualité. Mais les années passèrent, et l'on oublia peu à peu qu'un ministre des P.T.T. s'était suicidé jadis pour les seins de Lola Poor, et qu'un des modèles d'automobile les plus populaires de l'après-guerre avait été baptisé la « Lola ». L'ancienne star du cinéma français avait aujourd'hui soixante ans, et l'âge, le chagrin peut-être, avaient figé son visage dans une expression de mélancolie hiératique. Elle avait été belle et mystérieuse : elle était devenue belle et funèbre. Ses mains tremblaient et sa voix, autrefois si troublante, se dégageait maintenant des profondeurs glacées de sa solitude.

Mme Point lui disait qu'elle fumait trop, et qu'elle aurait dû renoncer au cognac, du moins le matin. Mais Lola Poor n'en faisait qu'à sa tête. Plus d'un metteur en scène, jadis, avait eu à craindre de ses humeurs. Elle considérait à présent Suzy Point de son regard lointain, ébauchait un sourire d'impuissance (n'avait-elle pas toujours été la première étonnée de ses propres caprices ?), et elle allumait une nouvelle cigarette dans un léger tintement des bracelets d'or, d'émeraudes et de rubis qu'elle avait aux poignets.

Pas plus que M. Linz, Lola ne savait jouer au bridge, et elle n'était guère bavarde. Elle avait progressivement renoncé à la lecture, qui faisait autrefois sa distraction favorite, depuis qu'il lui fallait porter des lunettes pour voir de près. Aussi bien pouvait-elle passer des heures à ne rien faire, assise dans le salon, les yeux vagues, le visage impénétrable, perdue sans doute dans les espaces infinis de la nostalgie. Toutefois elle avait trouvé une sorte de confidente dans la petite Cécile, la fille de Mme Point, à qui elle chuchotait, parfois pendant des heures, d'interminables histoires qui leur faisaient arrondir à toutes deux les yeux, d'étonnement et d'extase. Mais Cécile grandit, et les contes pour enfants ne l'intéressèrent plus. Lola fuma un peu plus et devint encore un peu plus silencieuse.

Heureusement qu'Adèle Kuque était bavarde, elle ! Elle n'était pas pensionnaire aux « Glycines », mais voisine, quatre maisons plus loin, de Suzy. Et la parole, un flot ininterrompu de paroles, n'était au juste qu'un des nombreux débordements de sa « vitalité ». Adèle prit bientôt l'habitude de venir aux « Glycines » dès le matin, et de n'en repartir que le soir, après le film à la télé du salon, ou après la partie de scrabble avec Suzy et Lola Poor. C'est elle qui faisait la cuisine pour tout le monde, car Suzy savait tout juste distinguer une côte de bœuf d'une cuisse de poulet, et les « petites souillons » qui se succédèrent aux « Glycines » ne furent jamais bonnes qu'à peler les pommes de terre.

Adèle Kuque était un peu plus âgée que Suzy. Petite, sèche, le cheveu grisonnant, elle s'accommodait de sa physionomie plutôt rebutante du moment qu'elle pouvait se rendre indispensable. Elle avait été l'aînée d'une famille de six enfants, et elle aimait à dire qu'elle avait servi de mère aux deux derniers.

Elle servait aujourd'hui de marâtre à son mari, Albin, qu'un accident de voiture avait cloué dans un fauteuil roulant. Ils auraient pu ne pas se détester, peut-être, si ce fauteuil d'infirme ne les avait si étroitement liés ensemble, l'une poussant de mauvaise grâce, l'autre geignant sans trêve et grommelant qu'on le brutalisait.

Adèle trouva aux « Glycines » tant d'occasions de s'agiter, de remettre en place, de ravauder, conseiller, réprimander, et de faire mijoter chaque jour de nouvelles idées, qu'elle devint la cheville ouvrière de la maison. L'écumoire, le dé à coudre, le sécateur furent les instruments de son autorité, le sceptre de la vraie souveraine des « Glycines ». Suzy, par nonchalance peut-être, s'habitua bientôt à s'en remettre à elle pour toutes les décisions à prendre : bien sûr, il faudrait recouvrir de velours vert le canapé du salon, on mettrait des glaïeuls dans le grand vase de cristal, et l'on ferait installer un jour un golf miniature dans le jardin.

Grâce à « Tante Adèle », la petite Cécile sut lire avant d'aller à l'école : cette brave femme avait une patience d'ange, vraiment, à passer trois heures d'affilée sur la table de multiplication avec une enfant de six ans. C'est elle, encore, qui emmenait Cécile se promener sur le petit chemin longeant la Seine, même s'il pleuvait, car les enfants ne prennent jamais assez d'air pur, et la petite fille s'était endormie plusieurs fois sur sa table de multiplication, preuve qu'elle faisait de l'anémie.

Tous ces services méritaient un salaire, estimait Suzy, qui sentait bien que la direction des « Glycines » lui échappait, et que son amie se comportait comme la vraie propriétaire des lieux. Mais Adèle n'entendait pas qu'on la remît ainsi à sa place, et la souveraine sans titre ne voulut pas devenir ministre. Elle accepta toutefois, à deux ou trois reprises, que Suzy lui prêtât un peu d'argent pour l'entretien de sa propre maison, qui était lourdement grevée d'hy-pothèques depuis que son mari ne travaillait plus. Il ne fut jamais question de remboursement, puisqu'il avait été spécifié une fois pour toutes entre les deux amies qu' « elles ne se devaient rien ». Cette bizarre comptabilité les satisfaisait toutes les deux, chacune se persuadant sans mal que l'autre était son obligée, et se flattant ainsi de son propre désintéressement.

Suzy, Adèle, Cécile, M. Linz, et Lola Poor formaient la « petite famille » des « Glycines », comme on disait entre soi. Les autres, ceux qui s'installaient à la pension pour quelques jours ou quelques semaines, avaient beau prendre leur repas à la même table que « la famille », et participer quelquefois à la partie de scrabble, ils demeuraient si bien des étrangers qu'on n'aurait jamais songé à les appeler par leur nom : c'était « le monsieur de la 5 », ou « la cliente du mois dernier ».

Le temps coulait paisiblement sur la petite famille : chacun retrouvait sa place au repas du soir, la même depuis vingt ans, et Juliette, la nouvelle servante, qu'Adèle s'efforçait de former aux bonnes manières, présentait le pot-au-feu en commençant par Madame Lola.

Cécile, qui était maintenant une belle jeune fille, étudiait la littérature à la Sorbonne et suivait les cours de l'École du Louvre. Elle aurait aimé apprendre l'art dramatique, peut-être à cause de Lola Poor, mais sur les conseils de tante Adèle, sa mère avait. exigé qu'elle fît d'abord deux ou trois années d'études « sérieuses ». Paris était trop loin pour que la jeune fille pût rentrer tous les soirs, et tante Adèle, toujours elle, lui avait trouvé une chambre chez une cousine de son mari, qui habitait un ravissant appartement face au jardin du Luxembourg. Cécile aimait bien maman Suzy et tante Adèle, mais elle avait décidément trop d'occupations pour rentrer aux « Glycines » toutes les fins de semaine. A dix-huit ans, la jeune fille découvrait le métro, les cafés, les garçons de son âge, et du jour au lendemain la « petite famille » des « Glycines » lui parut tout à fait irréelle. Adèle, taillant les rosiers du jardin, n'était plus qu'une image floue, un lointain souvenir, tout comme Lola Poor, feuilletant pour la centième fois de vieux numéros de *Cinémonde* où l'on parlait d'elle, ou comme Suzy, comptant les morceaux de sucre du petit déjeuner (car elle était devenue économe, l'ex-madone du Bordeaux-Paris, et prévoyante, sachant bien que des denrées comme le sucre, ou le riz, s'évaporent spontanément dans l'atmosphère si on ne les enferme solidement et en grande quantité dans un placard). Cécile estima donc qu'elle pourrait sans inconvénient espacer ses visites aux « Glycines ». Le temps, là-bas, passait bien moins vite qu'à Paris, et que partout ailleurs sans doute. La jeune fille ne manquerait rien à n'y plus aller qu'une fin de semaine sur deux, ou sur trois. Il faudrait attendre le Jugement dernier, à tout le moins, pour qu'il arrivât quelque chose dans ce bout du monde.

CHAPITRE II

Esmeralda de la Tortinière (« Pupuce » pour la famille) sauta sur la table de la salle à manger et se faufila précautionneusement parmi le désordre des assiettes maculées, des coupes à champagne, des serviettes tire-bouchonnées. Elle flaira longuement un restant de bûche au chocolat dans l'assiette de Lola Poor, exprimant finalement son dégoût d'un bref tressaillement des moustaches. Puis elle prit son élan, et atterrit sur le plancher en paraissant l'effleurer, tout près de la serviette de M. Linz (mais pourquoi, depuis vingt ans, ne la remet-il pas dans la pochette marquée à son nom ? se demandait Suzy). La chatte gagna ensuite le salon, et vint examiner le sapin tout enguirlandé qui se trouvait devant la cheminée. Elle en fit lentement le tour, sans quitter des yeux une grosse boule argentée qui pendait un peu plus bas que les autres. Elle s'assit devant la boule, et l'oublia pour entreprendre une minutieuse toilette de ses pattes blanches aux mitaines mauves. Sur la cheminée, l'Hercule de bronze doré de la pendule Restauration frappa neuf fois l'hydre de son gourdin, et au neuvième coup, la chatte bondit sur la boule de verre. Celle-ci se détacha de sa branche dans une pluie d'aiguilles sèches tachetant le pelage de la petite bête, qui fit un bond de côté, et déguerpit, l'échine parcourue de frissons électriques.

Elle grimpa l'escalier, traversa le palier, petite lueur blanche dans l'obscurité, et elle entra dans la chambre de Suzy Point, sa maîtresse, par une chatière aménagée dans la porte.

Suzy était étendue sur la moquette, étroitement entortillée dans un drap. Son visage présentait curieusement les marques de la plus vive attention, tout empreinte de sérénité toutefois, comme si la gisante s'était appliquée passionnément, sous ses paupières closes, à la contemplation des béatitudes éternelles.

La chatte fit le tour du corps, s'attarda sur le visage dont elle flaira délicatement les paupières, les lèvres, les narines, puis s'en désintéressa, et sauta sur le lit, où elle se pelotonna en ronronnant.

Quelques instants plus tard, M. David Weins, d'Atlanta, USA, sortit en pyjama de la chambre n° 4, qu'il occupait depuis trois semaines avec son ami, Daniel, un autre Américain, un peu plus jeune et encore plus beau que lui. David appuya sur l'interrupteur pour éclairer le couloir, mais l'ampoule devait être grillée, ou bien c'était le plomb, et le couloir resta dans l'obscurité. Encore tout ensommeillé, le jeune homme gagna la salle de bains, trois portes plus loin, en laissant sa main droite traîner contre le mur. Il s'arrêta sur le seuil pour bâiller, puis il poussa la porte, et entra.

Son cri se fit entendre jusque dans la chambre de Suzy, à l'autre bout du couloir. Celle-ci plissa les paupières et remua un peu dans le drap où elle s'était empaquetée durant son sommeil.

— Juliette, allez ouvrir! marmonna-t-elle, les yeux toujours clos.

— Au secours! cria encore David.

Suzy ouvrit des yeux effarés, et s'évertua durant quelques secondes contre le drap. Mais le silence était revenu. « J'ai dû faire un cauchemar », songea-t-elle quand elle se fut libérée de l'espèce de brassière qui l'emmaillotait encore de la taille au menton. Pupuce, la chatte, l'observa brièvement de derrière les jalousies de ses yeux entrouverts, puis s'enroula bienheureusement dans son propre giron.

Suzy se mit debout, laborieusement, comme on dresse un mât. Il lui sembla qu'elle surplombait le plancher, le lit, ses propres pieds, d'une hauteur de plusieurs mètres. Le battant d'une formidable migraine vint cogner le tocsin contre les parois de son crâne. « Je n'aurais pas dû tant boire », se fit-elle tout bas, cherchant surtout à se rassurer par le son familier de sa propre voix, un peu comme un accidenté se palpe les membres et vérifie qu'il est « bien entier », avant de se relever.

— Madame Point! fit la voix lointaine de David.

Suzy sursauta. Elle n'avait donc pas rêvé : on l'appelait. Peut-être avait-elle bien entendu « au secours », l'instant d'avant! et puis non! elle ne savait plus ce qu'elle avait entendu.

Elle enfila son déshabillé de satin de soie bleu pâle, un vêtement de rêve comme on en voit seulement dans les films. Elle l'avait acheté la semaine passée : c'était chaud comme de la laine et d'une légèreté miraculeuse. Et puis ça l'amincissait. Elle était soudain redevenue coquette, Suzy, depuis que le beau Daniel était apparu dans sa vie, il y avait tout juste trois semaines. Daniel avait l'âge de sa fille Cécile, mais c'était son plus grand charme, celui de l'adolescence. Daniel vivait avec un homme, mais cela le rendait d'autant plus désirable, et Suzy s'était promis de lui enseigner le bon usage de sa jeune virilité. Elle avait réussi à l'entraîner dans sa chambre, voici quelques jours, et à lui faire goûter bon gré mal gré aux fruits mûrs de sa corne d'abondance. Pour la première fois de sa vie, le beau Daniel, le divin étalon, s'était pâmé sur une femme, la taille fermement entravée par les jambes de Suzy, que la violence du désir avait tétanisées. C'est qu'elle n'avait pas connu cela depuis vingt ans, la pulpeuse, la fatale Suzy, trop sage mangeuse d'hommes, rondeurs troublantes, blancheurs moelleuses, splendeurs mammaires, dont les premiers embrasements avaient bêtement tourné au lait caillé d'un bon petit héritage !

— Madame Point ! appela encore David.

Suzy sortit de sa chambre, une main sur son front douloureux, l'autre main sondant le brouillard. Elle appuya sur l'interrupteur, dans le couloir, mais elle n'y vit pas plus clair : c'est l'ampoule, songea-t-elle, ou bien la migraine. Le monde était si lourd, ce matin ! la lumière qui ne fonctionnait pas, M. Weins qui appelait « au secours »... elle ne savait plus très bien. Ses pensées elles-mêmes semblaient opaques.

La porte de la salle de bains était ouverte, au fond du couloir. La silhouette de David se découpait dans le contre-jour.

— Qu'est-ce qui se passe, monsieur Weins ? Vous avez encore trouvé des cafards ?

David se retourna vers Suzy, et lui désigna quelque chose du doigt, dans la salle de bains.

— Là ! là ! balbutia-t-il.

Il s'écarta pour laisser passer Suzy, qui s'accrocha au montant de la porte, toujours chancelante, et se pencha vers l'intérieur. Ce qu'elle vit lui parut d'un mauvais goût insupportable.

M. Linz, cet homme si convenable, se trouvait dans la baignoire, tout nu, et adressait à la cantonade un sourire malicieux. Mais il était mort, manifestement mort, et tout cela, le sourire, les petits yeux plissés, et cette jambe qui se dressait bizarrement hors de l'eau, était très déplaisant.

— Monsieur Linz ? fit néanmoins Suzy, d'une voix un peu trop aiguë.

Les cadavres sont parfois très expressifs, et celui de M. Linz l'était plus que tout autre. Suzy s'était adressée à lui, stupidement, espérant peut-être qu'il prendrait la parole pour lui promettre qu'il n'allait pas cligner de l'œil.

David Weins eut alors un comportement étrange : comme si la présence de Suzy lui avait insufflé un certain courage, il s'approcha du mort, prit la main qui pendait hors de la baignoire, et l'examina, murmurant à plusieurs reprises : « Bon Dieu, il est mort ! Il est tout à fait mort ! » Puis il se tourna vers Suzy, et lui présenta la paume ouverte du cadavre, comme preuve de ce qu'il avançait.

— Il est mort ! acquiesça Suzy de mauvaise grâce (mais elle savait bien que plus rien ni personne ne viendrait désormais démentir cette évidence). Et quand elle et Daniel se furent tus, un silence d'une densité extraordinaire vint peser sur eux. M. Linz,

dans la baignoire, tournait au cadavre, définitivement !

— Il faudrait appeler la police ! fit David.

— La police ? répéta machinalement Suzy.

Elle aperçut alors le sèche-cheveux qui trempait
dans la baignoire, relié par une rallonge de fil
électrique à la prise du lavabo.

CHAPITRE III

Adèle Kuque raccrocha pensivement le téléphone. M. Linz était mort électrocuté! Et selon toute apparence, quelqu'un, « l'assassin », avait jeté le sèche-cheveux en marche dans la baignoire. Étrange fin que celle-là! On meurt d'un infarctus ou d'un cancer, d'habitude. A la rigueur, d'une balle de revolver. Pas d'un sèche-cheveux! Et dans l'esprit d'Adèle Kuque la bizarrerie du procédé annulait pour ainsi dire l'effroi de la mort de M. Linz, qu'elle rendait comme irréelle.

Adèle avait participé au réveillon avec Suzy, Lola Poor, et les autres, et M. Linz justement, mais elle n'avait pas trop bu, et dès neuf heures du matin elle se trouvait tout habillée, fin prête pour les grands événements qui arrivaient aux « Glycines ». Elle se leva de son fauteuil, prit son sac à main sur le lit, et rabattit proprement le drap et la couverture sur l'oreiller. Avant de quitter la chambre, elle saisit le balai qui se trouvait posé le manche en bas, près de la porte, et elle en frappa trois grands coups sur le plancher.

— On s'en va, Albin! Réveillez-vous!

Albin Kuque se tenait assis à la tête du lit, dans la

22

chambre du bas, quand Adèle fit irruption, poussant devant elle le fauteuil roulant. Albin la regarda sans protester, résigné qu'il était depuis plus de vingt ans à ces réveils inexorables. Il plissa seulement les paupières quand le fauteuil heurta l'un des montants du lit. Adèle balaya d'un coup de savate les papiers, les bouquins, les cartes à jouer, les mégots qui se trouvaient disséminés par terre, autour du lit, et les éparpilla davantage, sans doute pour y voir plus clair.

— Et mon café ? Vous ne me donnez pas mon café ? risqua l'infirme.

Adèle attrapa les vêtements de jour d'Albin, qui étaient tire-bouchonnés au pied du lit, et les jeta devant lui.

— Vous n'êtes pas habillé, Albin ? Vous croyez que je vais vous enfiler vos guenilles ?

— Vous les posez trop loin. Je ne peux pas, moi ! Je n'y arrive pas ! essaya d'expliquer le malheureux.

Mais Adèle l'avait saisi par les épaules et le tirait vers le fauteuil roulant, l'aiguillonnant à la fin de deux ou trois coups de poing dans les côtes.

— Je n'ai pas le temps de vous dorloter, confirma-t-elle. Vous vous habillerez en route.

— Mais il fait froid, dehors !

— On a chaud quand on se remue. Vous ne bougez pas assez !

— Comment le pourrais-je ! Je n'ai plus de jambes !

— Il vous reste deux bras et une grande gueule !

Cependant, Adèle avait déjà quitté la chambre, poussant le fauteuil d'Albin, et traversait le grand salon, qui paraissait encore plus grand depuis qu'on avait saisi les meubles.

— Pourquoi faut-il partir si tôt ? Est-ce qu'on n'est pas dimanche ? tentait d'argumenter Albin.

— Non, on n'est pas dimanche ! affirma son adversaire.

— On est le 1er janvier, ça revient au même !

— On est le jour que je décide, et vous dormez bien assez comme ça !

Adèle ne prit pas le chemin goudronné pour aller aux « Glycines ». Elle choisit le sentier qui surplombait la voie de chemin de fer, parce que c'était plus court, et un peu pour le plaisir, aussi, de pousser le fauteuil roulant sur les cailloux de cet itinéraire, qui servait ordinairement aux punitions d'Albin. Celui-ci clamait qu'on lui brisait les reins, bien sûr, et que depuis vingt ans on l'assassinait en douce. Mais Adèle songeait à l'autre meurtre, le vrai, celui de M. Linz. Quelle passionnante journée ç'allait être ! Et d'allégresse, elle lançait le fauteuil contre les plus gros cailloux.

Une fourgonnette de gendarmerie et deux voitures de police stationnaient devant « Les Glycines ». Albin Kuque commençait seulement d'enfiler son chandail quand le fauteuil franchit le portail, rudement secoué par les graviers de l'allée menant au perron. Le brigadier Bourgadier, qui était demeuré dans la fourgonnette, interrompit un instant sa communication radio avec la gendarmerie, considérant avec étonnement l'énergumène qui s'agitait sur un fauteuil d'infirme, la tête et tout le haut du corps empêtrés dans une sorte de sac de grosse laine brune.

— Si vous aviez un peu d'amour-propre, vous vous dépêcheriez de crever ! disait la femme aux cheveux gris, au manteau gris entrouvert sur une robe grise, qui poussait le fauteuil.

— Et qu'est-ce que vous feriez sans moi ? glapit le sac. Sur qui cracheriez-vous votre venin ?

Le brigadier Bourgadier reprit sa communication, non sans un haussement d'épaules désapprobateur. Adèle rangea son mari contre le lierre du mur, et gravit seule le perron.

Tout le monde était réuni au salon, Suzy et Lola Poor sur le canapé que l'on envisageait de recouvrir de velours vert, David Weins et son ami Daniel à l'autre bout de la pièce, sur les chaises rustiques, Juliette, la bonne, se tenait debout près de la cheminée, et faisait le pendant du sapin, dont les ampoules clignotaient à nouveau car on avait rétabli le courant. Elle portait sa blouse grise, comme tous les jours. Les autres étaient encore en robe de chambre, et le salon des « Glycines », avec tous ces gens en tenue de nuit, évoquait la salle de consultations d'un hôpital. Deux gendarmes, toutefois, faisaient les cent pas parmi les malades, et leur air bonasse ne tempérait guère l'inquiétante solennité de leur uniforme et du gros revolver qu'ils portaient à la ceinture. Aussi bien ne se parlait-on qu'à voix basse, chacun comprenant que son cas était devenu alarmant depuis que l'autre patient, là-haut, avait passé l'arme à gauche.

Adèle pénétra dans la pièce sans que les deux gardiens de l'ordre parussent s'aviser de cette présence nouvelle. Leur rôle, sans doute, était de ne pas permettre de sortir aux éventuels suspects, mais d'en laisser entrer le plus grand nombre possible.

— Oh, ma chérie ! Quelle horreur ! chuchota Suzy quand Adèle vint s'asseoir près d'elle.

— Ils sont là-haut ?

— Ils sont arrivés à une douzaine. Ils fouillent partout, dans toutes les chambres. Tu les entends ?

Les deux femmes levèrent en même temps le visage vers le plafond, et demeurèrent un moment à écouter les semelles cloutées des gendarmes et les semelles de crêpe des officiers de police allant et venant sur les planchers du premier.

— Ils font les constatations, dit Lola Poor d'un ton de compétence sereine. Ensuite ils nous interrogeront. Ça se passe toujours de la même manière.

— Ah ? Vous savez ? fit Adèle.

— J'ai assisté à de nombreux meurtres, dans mes films.

Suzy regardait les deux gendarmes aller et venir sans but, l'air d'attendre paisiblement le jour de la retraite. L'un d'eux faisait grincer le parquet, toujours au même endroit. Elle se leva soudain, se tordant les mains, et s'exclama d'une voix tremblante : « Ils ne pourraient pas s'asseoir, ces deux-là ? Ils me mettent les nerfs en pelote ! »

Adèle lui prit les mains pour la calmer. Les deux gendarmes continuaient de déambuler, indifférents aux nerfs de toutes ces pauvres gens.

Dehors, cependant, Albin trouvait le temps encore plus long, et criait après Adèle, après Suzy, et même après M. Linz, dont il ne savait pas la fin tragique, pour qu'on vienne l'enlever, et qu'on le mette au chaud.

— Il y a quelqu'un, dehors ? fit enfin l'un des gendarmes, un peu comme il aurait dit : « C'est vous, le propriétaire de la voiture en double file ? »

— C'est mon mari. Je ne peux pas le monter toute seule, se plaignit Adèle.

A cet instant précis, l'inspecteur principal adjoint Robert Lester apparut sur le seuil. Il portait une veste de velours fatiguée, et il regardait tout le monde avec l'air de s'excuser d'avance si par hasard il s'était trompé d'adresse. Son pantalon faisait la vis sur une paire de chaussures toutes neuves et rutilantes, qui n'allaient pas avec le reste de sa personne. De même, on ne pouvait lui donner d'âge : le regard enfantin faisait contraste avec les cernes profonds sous les yeux, et la moustache guillerette ne tempérait pas tout à fait l'allure pour ainsi dire élimée du personnage. Il fouilla pendant un moment dans la paperasse qui gonflait ses poches, parut trouver le document qu'il cherchait, le parcourut brièvement du regard, et déclara, comme s'il venait d'écarter d'ultimes incertitudes concernant sa propre identité :

— Inspecteur principal adjoint Robert Lester... Le monsieur qui braille sous la pluie, il est puni, ou quoi ?

— Tiens ? Il pleut ? fit semblant de s'étonner Adèle. Puis elle avoua : c'est mon mari !

Les deux gendarmes avaient cessé d'arpenter la pièce, et se tenaient au garde-à-vous. Lester leur donna l'ordre d'amener le pauvre homme qu'on avait oublié dehors.

Suzy s'était levée, et se présentait à l'inspecteur. Mais il ne l'écoutait pas du tout, considérant plutôt Adèle avec une curiosité amusée. Celle-ci se leva à son tour pour réceptionner Albin, qui ne songeait plus qu'à tirer vengeance de la mégère depuis que deux gaillards en uniforme et à l'allure très officielle semblaient l'avoir pris sous leur protection.

— Ils sont venus ! triomphait-il. Je savais bien

qu'ils viendraient un jour. Je vais leur dire, maintenant ! Je vais leur dire !

— Taisez-vous donc, faisait à voix basse Adèle.
Vous vous rendez ridicule !

Mais Albin avait repéré Lester, et il avait deviné
sa fonction, même s'il se trompait tout à fait sur la
raison de sa présence : il le remercia chaleureuse-
ment d'être intervenu avant que la garce l'eût fait
crever en douce. Voilà des années que sa vie tenait à
un fil, et que cette femme diabolique lui promettait
ouvertement de le faire disparaître à la première
occasion ! Il avait écrit au procureur de la Républi-
que, mais on lui avait répondu de façon très évasive.
Alors il avait vraiment désespéré, songeant même à
se supprimer pour ôter du moins à son ennemie la
satisfaction de le faire.

Lester l'écoutait avec stupéfaction. Adèle avait
renoncé à le faire taire et méditait sa vengeance. Les
deux gendarmes encadraient le fauteuil roulant
attendant les ordres.

— L'autre victime est dans la salle de bains du
premier, je crois ? fit Lester.

— Oui, monsieur le principal.

— Parfait !

Il se tourna vers Joseph, et lui tapota l'épaule.
Puis il fouilla de nouveau parmi les liasses de papiers
qui débordaient de ses poches. Il choisit une feuille,
Dieu sait sur quel critère, la défroissa, et lut avec
difficulté, tenant le papier à bout de bras :

— Madame... Point (c'est « Point », ça ?).

— C'est moi.

— Vous voulez bien m'accompagner ?

— Volontiers, monsieur le commissaire !

Suzy tenait à se montrer aimable avec un personnage qui pouvait lui faire tellement d'embêtements.

— « Inspecteur », madame. « Inspecteur principal adjoint », rectifia Lester.

— Est-ce que cela fait une différence? demanda étourdiment Suzy.

— Aucune pour les criminels, madame!

Suzy eut un petit sursaut. Ces gens de la police étaient décidément mal embouchés!

Ils sortirent ensemble du salon, mais Lester s'arrêta une seconde sur le seuil, pour demander aux gendarmes de conduire près d'un radiateur le monsieur mouillé. Comprenant que le policier se désintéressait de lui, celui-ci grommela pour lui-même qu'une fois de plus on le prenait pour un gâteux, et que tout cela finirait mal. Mais il n'osait plus se plaindre bien fort, sachant qu'Adèle se tenait juste derrière lui, et qu'elle enregistrait tout.

Avisant le petit meuble vitré contenant les alcools, il demanda au gendarme de lui servir un cognac, pour le réchauffer, puis, avalant d'un trait le verre qu'on lui donnait, il ne put s'empêcher de défier un dernier coup sa tortionnaire :

— Tu n'as pas eu le temps de l'empoisonner, celui-là! fit-il à Adèle, qui haussa les épaules, pour une fois sans lui répondre.

CHAPITRE IV

Sur le palier du premier, l'inspecteur Belmont accueillit Lester d'un retentissant « bonjour, chef ! et bonne année ! »

— Bonne année, Jacques ! Alors ?

— Cinq cents watts dans cinq cents litres d'eau, commenta Belmont, c'est la mort sans phrase et plutôt deux fois qu'une !

— Vous vous êtes déjà séché les cheveux dans votre bain ?

— Il faudrait être fou furieux !

— Eh bien, conclut Lester, nous supposerons que ce monsieur était sain d'esprit.

Un gendarme se tenait en faction devant la porte grande ouverte de la salle de bains. Deux policiers s'affairaient à l'intérieur. Lester pria Suzy de l'attendre dans le couloir. Celle-ci, au reste, ne tenait nullement à subir à nouveau le sourire vaguement égrillard du cadavre.

Le gendarme s'effaça pour laisser passer Lester. A l'aide d'une petite pince, l'inspecteur Ravier recueillait des cheveux sur le lavabo, et les déposait dans un sachet de matière plastique transparente. L'inspecteur Bismuth cherchait sous les ongles du cadavre d'éventuels indices, traces de sang ou fragments de peau arrachés à l'agresseur, par exemple. Mais il ne semblait pas y avoir eu de lutte, et l'instrument du crime, par surcroît, excluait l'hypothèse d'un contact physique entre l'assassin et sa victime.

— Bonjour, chef, fit Ravier tout en poursuivant sa tâche. L'inspecteur Bismuth se tourna vers le patron sans lâcher la main bleue du cadavre, et lui souhaita la bonne année.

— Bonne année à vous aussi, fit Lester.

— La petite Nathalie vous a attendu hier soir, dit Bismuth. Elle avait un cadeau pour vous.

— Ah, oui ?

— Un stylo, ou quelque chose comme ça, précisa Ravier. Je crois qu'elle a le béguin, celle-là aussi.

« Pourquoi pas ? » songea Lester, qui venait de fêter ses cinquante ans, et qui se persuadait d'année en année que les plus grands séducteurs ne sont pas forcément jeunes, ni beaux, ni les plus élégants. Il jeta un coup d'œil sur M. Linz, et le trouva peu sympathique, avec son sourire goguenard et suffisant.

— Encore un citoyen qui va nous donner du fil à retordre, fit Ravier, comme en devinant la pensée du patron.

Se faire assassiner le jour de l'an et à l'aide d'un sèche-cheveux, songeait en effet Lester, c'est vraiment le fait d'un enquiquineur.

— A quelle heure est-il mort ? demanda-t-il.

Bismuth tourna la main du défunt et en contempla pensivement la paume.

— Entre quatre et six heures, ce matin.

— Vous lisez ça dans les lignes de la main ? s'inquiéta Lester.

31

— Non, patron ! Je pensais à autre chose...
Regardez ça !

Lester se pencha, et vit une marque brune sur la
face interne du poignet.

— C'est tout ? demanda Lester, sarcastique.

— Il y en a un autre, à la base du cou.

— Deux hématomes, fit Lester, ça ne prouve
rien. Vous devez en avoir autant sur le corps, et moi
aussi. Un faux mouvement, quelqu'un vous heurte
dans la rue, et ça y est !

— La vie est pleine de dangers, expliqua Bismuth, gentiment, au cadavre.

Lester retrouva Suzy dans le couloir, et lui
demanda de le conduire dans la chambre de la
victime. L'inspecteur Lucas s'y trouvait déjà, un peu
hagard au milieu du désordre indescriptible de la
pièce.

— Mon Dieu ! s'écria Suzy.

— Bonjour, monsieur le principal ! Je viens de
prendre les photos, mais je n'ai encore touché à rien.

Suzy regardait avec effarement les papiers épars
sur le plancher, et les chaises renversées. Les draps
avaient été arrachés du lit, et le matelas était lardé
de coups de couteau.

Lucas s'approcha de Lester, et lui montra le
blindage et l'énorme verrou qui protégeaient la
porte.

— J'ai mis un bon quart d'heure à ouvrir ce
machin !

Avec son blouson de cuir et son allure de jeune
délinquant, l'inspecteur Lucas paraissait pourtant
capable de forcer en un tournemain n'importe quelle
serrure.

— Il n'aimait pas qu'on le dérange, ce monsieur ? demanda Lester à la propriétaire des lieux.

Suzy expliqua que M. Linz avait fait poser ce blindage à ses frais, voici de nombreuses années déjà, à cause des objets précieux qu'il gardait dans la petite armoire vitrée. M. Linz était antiquaire, expliqua Suzy, spécialisé dans les objets d'art précolombiens. Et elle précisa qu'il était le seul à posséder la clé de sa chambre.

— Et comment faisait-on le ménage ?

— La femme de chambre ne pouvait entrer qu'en sa présence.

Lester s'approcha de l'armoire vitrée. Des vases de terre cuite aux couleurs vives, des statuettes d'opale, de jade ou d'obsidienne, un diadème d'or pur, des bijoux, des haches de pierre dure s'alignaient en bon ordre sur les étagères. Lester émit un sifflement d'admiration.

— En tout cas, notre cambrioleur n'était pas amateur d'art, fit-il.

— Ou bien il a été dérangé, supposa Lucas.

Lester examinait maintenant le lit. Il compta quatre coups de couteau, portés franchement de haut en bas.

— J'aimerais penser qu'on a éventré ce matelas pour y trouver quelque chose, de l'argent, des papiers, peu importe ! Mais dans ce cas, notre homme aurait pratiqué de longues ouvertures. Il aurait fouillé à l'intérieur. On trouverait de la laine un peu partout. Or, qu'est-ce que nous voyons ? Quatre coups de couteau bien propres.

Lester se tourna vers son adjoint, qui semblait aussi perplexe que lui.

— Il ne reste qu'une explication, si je puis me permettre, suggéra le jeune policier.

— Je vous en prie, fit Lester.

— On a tenté d'assassiner le lit, patron !

Lester haussa les épaules, et s'approcha de la porte-fenêtre, pour l'examiner. Elle portait nettement les marques du levier à l'aide duquel on l'avait forcée. Lester sortit sur le balcon, et jeta un coup d'œil sur l'échelle qui reposait sur la barre d'appui.

— Ce brave homme a fait poser une porte blindée digne de la banque de France, mais un cul-de-jatte pouvait entrer par la fenêtre.

Le policier rentra dans la chambre, et fit le tour de la pièce, l'air ulcéré : à quoi donc rimait toute cette mise en scène ? En trente ans de carrière il n'avait jamais rien vu de pareil : mon premier est un sèche-cheveux dans une baignoire, mon second un matelas éventré, mon troisième, une échelle contre le balcon, et mon tout, en tout cas, n'a aucun sens !

— Patron ! venez voir !

Lucas examinait avec ébahissement la porte ouverte de la penderie. Lester s'approcha, et fit aller et venir le battant, deux ou trois fois. Les deux policiers se regardèrent, également incrédules.

Suzy s'était approchée, cherchant à voir à son tour ce qui les plongeait dans une telle perplexité. Lester se tourna vers elle, et eut un geste de découragement.

— Ce placard a été forcé, madame, mais de l'intérieur.

Il enfonça les mains dans les poches de sa veste, traversa la chambre, se regarda un long moment dans le miroir de trumeau de la cheminée, puis se retourna soudain, et s'écria :

— J'ai bien envie de rentrer chez moi, et de lire un bon polar !

Lucas s'était agenouillé devant une grosse valise noire qu'il venait de sortir de sous le lit. Il l'ouvrit à l'aide d'une épingle, et entreprit de la vider de son contenu. Lester le regardait faire, et hochait la tête d'un air entendu pour chaque objet qu'il voyait déposer sur le plancher, à côté de la valise.

— C'est ça ! Pourquoi pas ? Et puis quoi encore ? grognait-il.

Des fioles emplies de liquides de diverses couleurs s'alignaient maintenant à côté de la valise. Il y avait en outre un stéthoscope, un tensiomètre, des seringues. Des deux mains, Lester se frottait douloureusement les tempes. Puis il s'approcha doucement de Lucas.

— Je vous charge d'écrire le rapport, fit-il à voix très basse. Et surtout, n'oubliez rien ! Ni la penderie, ni les seringues, ni le matelas ! Je vous jure qu'on se souviendra encore de vous dans vingt ans !

— Merci, patron ! fit Lucas, sans oser trop rire.

CHAPITRE V

Dans le salon, Albin Kuque profitait de la vie en trinquant avec les deux gendarmes. Il était déjà trop saoul pour penser vraiment aux représailles qu'Adèle lui ferait subir ce soir. Les deux gendarmes s'étaient laissé tirer un peu l'oreille avant d'accepter le verre de cognac censément « offert par la maison ». Mais considérant que c'était un jour de fête malgré les circonstances, et que le sapin de Noël clignotait pour tout le monde, même pour les gendarmes en service, ceux-ci, finalement, s'étaient laissés fléchir. Adèle regardait ça, et n'osait rien dire : Albin avait pour lui la force publique, et Dieu sait ce que ces trois ivrognes étaient en train de se raconter !

Or les gendarmes racontaient qu'on avait assassiné avec un sèche-cheveux un certain Linz, que M. Kuque devait connaître, et celui-ci racontait que si l'on avait assassiné ce Linz, qu'il connaissait en effet, le coupable ne pouvait être qu'Adèle, et que cette histoire de sèche-cheveux ne tenait pas debout car Adèle était une empoisonneuse. Les gendarmes, bien sûr, essayaient de convaincre Albin que la victime était morte électrocutée, pas empoisonnée, mais l'infirme ne voulait pas démordre de son idée. Et les deux autres rigolaient, et finalement tout le monde rigolait bien.

Adèle ne pouvait saisir la moindre bribe de ce qu'ils se disaient. Ulcérée, elle se tourna vers Lola Poor, et l'entreprit sur l'événement du jour, dont on était infiniment loin d'avoir épuisé tout l'intérêt. On n'assassine pas les gens pour rien, et M. Linz, avec son air trop convenable, avait certainement une vie cachée.

— Je n'en sais pas plus que vous, fit Lola, que cette conversation n'intéressait pas.

— Justement ! fit Adèle. Quand on ne sait rien sur un homme qu'on voit tous les jours, c'est qu'il cache quelque chose.

— Ou c'est qu'il n'y a rien à chercher, démentit Lola.

— Alors pourquoi vivait-il derrière une porte blindée ?

— Vous le savez bien ! fit Lola sur un ton d'exaspération. Il possédait des objets de grande valeur.

— Il ne voulait pas qu'on mette le nez dans ses affaires, plutôt !

Adèle émit alors toutes sortes d'hypothèses : les bibelots que M. Linz gardait dans sa chambre étaient des objets volés. Ou bien ils étaient bourrés de drogue. A moins qu'ils n'eussent contenu des microfilms.

Lola écoutait distraitement le récit des aventures et du trépas de M. Linz. Elle songeait que le hasard faisait coïncider cet événement tragique avec la diffusion, ce soir, sur la télévision, du dernier film de sa carrière, *La Prêtresse du Dieu-Soleil*. Et elle ne pouvait s'empêcher de croire que cette coïncidence avait un sens caché : son mari, l'acteur Jean Maréchal, n'avait-il pas disparu, lui aussi de manière tragique, pendant le tournage de ce film ? Les deux événements n'étaient pas sans se ressembler et comme se répondre obscurément, à trente ans d'intervalle.

Assis côte à côte à l'autre bout du salon, comme s'ils avaient voulu se tenir le plus loin possible des autres, des gendarmes et de toute l'affaire, David Weins et son ami Daniel discutaient à voix basse. David était un homme d'une trentaine d'années, très grand, maigre, l'œil bleu pâle et le regard évasif. Daniel était plus jeune, musculeux mais de petite taille, brun aux yeux verts, le regard timide, un teint de jeune fille. Il se tenait un peu tassé sur sa chaise, et semblait grelotter de froid, malgré le châle de laine qu'il serrait sur ses épaules, par-dessus la robe de chambre.

— J'ai fait ce que tu m'as demandé, protestait-il. Tout ce que tu m'as demandé ! Est-ce que ça ne compte pas ?

— Il a suffi qu'elle te siffle, et tu es accouru.

— Je ne sais pas ce qui m'a pris... elle n'est rien pour moi, je te le jure !

— Comment veux-tu que je te croie ?

— Tout à l'heure, fit Daniel dans une sorte d'enthousiasme, tu seras bien obligé de me croire !

Toujours accompagné de Suzy Point, l'inspecteur principal Lester venait précisément d'entrer dans la chambre des deux Américains. Les lits jumeaux avaient été retapés, et la pièce était si propre et bien rangée qu'on aurait pu la croire inhabitée. Des slips et une chemise, toutefois, séchaient sur le radiateur, dénotant la présence des deux méticuleux jeunes gens.

— Ils sont comme ma chatte, remarqua Suzy : on ne les entend jamais et c'est à peine si on les voit.

Lester fit une inspection rapide des lieux. Il savait d'avance qu'il n'y découvrirait rien d'intéressant, nul indice, aucune marque tant soit peu personnelle. « J'aimerais bien savoir ce qu'ils sont venus faire en France, se demanda-t-il, et particulièrement dans ce trou ».

— M. Weins est écrivain, fit Suzy comme en réponse aux interrogations de Lester. Il prépare un roman.

— Ah, oui ? un roman ?

— Il aime le calme, le silence d'ici. Il n'a encore jamais publié, mais il est jeune. Et puis c'est un perfectionniste, je crois.

Lester avait fait le tour des penderies et des tiroirs, et n'avait pas entrevu la moindre feuille de papier. Quelle perfection en effet ! Le prochain roman de M. Weins, comme les précédents, n'était sans doute pas près d'être publié.

— Cela n'a sans doute pas grande importance, demanda le policier, mais savez-vous à qui appartenait le sèche-cheveux ?

— Il était dans la salle de bains, à la disposition de tout le monde... enfin... des messieurs.

— Des messieurs ?

— C'est la salle de bains des messieurs. Il y en a une autre pour les dames.

— Bien sûr ! admit Lester. C'est bien normal !

Et il pensa : « les messieurs d'un côté, les dames de l'autre, et les sèche-cheveux dans les baignoires.

Une place pour chaque chose et chaque chose à sa place ! »

Ayant fait une seconde fois le tour de la chambre il s'apprêtait à sortir, mais il s'arrêta devant la porte.

— En quels termes M. Linz était-il avec les autres pensionnaires ?

— Excellents... il était très aimable avec tout le monde.

— Et avec vous ?

— Très aimable aussi. Ça oui ! très agréable !

— Son amabilité allait-elle jusqu'à recevoir des visites dans la baignoire ?

— Dans la baignoire ?

— M. Linz a été assassiné pendant qu'il prenait son bain, il me semble.

Suzy n'en disconvenait pas.

— Ça dénote une certaine intimité, reprit Lester, vous ne croyez pas ? Et puis, tuer quelqu'un avec un sèche-cheveux, c'est plutôt une drôle d'idée, à moins que cette idée, justement, ne vous vienne pendant que vous vous séchez les cheveux.

Suzy écarquillait les yeux, comme en voyant malgré elle cette scène qui allait si mal avec sa « salle de bains pour les messieurs » et sa « salle de bains pour les dames ».

— Cela signifierait-il que l'assassin... se lavait avec M. Linz ? hésita-t-elle à dire.

— Pourquoi pas ?

Lester posa la main sur la poignée de la porte, qu'il entrouvrit.

— Ce que je ne comprends pas, fit-il dans un petit rire, c'est que ce curieux personnage ait pris une échelle pour monter dans la chambre de Linz, qu'il se soit enfermé dans le placard pour en forcer ensuite la porte, qu'il ait lardé le lit de coups de couteau, et qu'il soit sorti de la chambre en fermant soigneusement le verrou, pour aller ensuite rejoindre sa victime dans la salle de bains... à moins qu'il ne s'agisse de plusieurs personnes différentes... et ça pourrait faire beaucoup de monde.

Lester finit d'ouvrir la porte et s'effaça pour laisser passer Suzy.

— Vous êtes sûre qu'il était si aimable que ça, ce monsieur Linz? demanda-t-il d'un ton goguenard.

L'inspecteur Ravier se tenait sur le seuil, face à Lester, et l'entraîna dans la salle de bains en lui disant à voix basse qu'il venait de trouver quelque chose. Suzy demeura sur place, et suivit les deux policiers d'un regard où la curiosité le disputait à l'inquiétude.

CHAPITRE VI

L'inspecteur Belmont était penché sur la baignoire et suivait d'un œil intrigué les évolutions du bizarre esquif qui flottait près du corps de M. Linz. Celui-ci avait été déplacé, et se tenait sagement assis, les épaules hors de l'eau, la tête bien droite, toujours souriant, et fixant d'un regard toujours moqueur la fenêtre, devant lui, ou peut-être le ciel déjà !

Lester entra, suivi de Ravier, et vint constater par lui-même : c'était bien une pipe ! une petite pipe de bruyère. Un objet au fond très banal, sauf dans une baignoire et à côté d'un cadavre !

— Parfait ! grommela Lester. L'assassin fumait la pipe au moment du crime.

— Patron, c'est le premier janvier, fit Belmont. Pas le premier avril...

— Vous croyez ? Alors c'est Linz qui fumait dans son bain, c'est bien normal !

Il s'assit sur le rebord de la baignoire, et hocha lentement la tête. Il se rappela sa tante Jane, une délicieuse vieille demoiselle qui habitait un petit village, St-Mary-Mead, en Angleterre, et qui l'accueillait jadis, quand il était encore enfant, pour les vacances d'été. Elle lui préparait de merveilleux plum-puddings et lui racontait d'incroyables affaires de meurtres, toutes plus compliquées les unes que les autres, qu'elle prétendait avoir toutes résolues. Tout le monde devrait avoir connu dans son enfance une tante Jane, se disait-il souvent. Elles sont un peu folles mais pleines de bon sens, et il ne faut pas leur en conter. Elles inventent des histoires abracadabrantes, mais elles savent si bien les dire qu'on pourrait presque y croire. Et aujourd'hui, Robert Lester aurait bien voulu que sa tante Jane fût encore de ce monde. Elle aurait sûrement trouvé une explication à la pipe, à l'échelle, à la porte de la penderie... une explication tout ensemble logique et farfelue. Et qui sait ? peut-être la bonne !

— Ça ne va pas, patron ? s'inquiétait l'inspecteur Ravier.

— Mes chaussures me font un peu mal, dit simplement Lester, et il délaça l'un de ses souliers, pour se frotter douloureusement le pied.

— Il ne fallait pas les prendre si pointues, remarqua Belmont.

— Eh si ! expliqua Lester. L'autre jour, on sonne chez moi. J'ouvre la porte. C'était une jeune fille, jolie, l'air effronté mais sympathique, qui me demande si je veux bien répondre à ses questions, pour un sondage d'opinions. A tout hasard, je dis que je veux bien. Elle entre, elle s'assoit, et elle me fait comme ça, tout de suite : « Vous, vous êtes dans la police ». Je lui demande : « A quoi voyez-vous cela ? » « à cause de vos semelles », me sort-elle !

Lester relaça son soulier, et se leva, posant tout doucement le pied par terre.

— J'ai bientôt trente ans de carrière, conclut-il sombrement, et on ne m'avait encore jamais dit ça !

Il gagna la porte en boitillant, et se retourna vers Belmont.

— Vous avez trouvé de beaux cheveux, sur le lavabo ?

— De toutes sortes, exposa Belmont : des bruns, des blonds, des frisés, et même des cheveux qui ne sont pas des cheveux.

« Enfin quelque chose de normal, dans cette maison », songea Lester.

Il retrouva Suzy Point qui faisait les cent pas dans le couloir, puis il ouvrit une porte, au hasard, et ils entrèrent.

La pièce était plongée dans l'obscurité, et le faible éclairement qui provenait du couloir laissait seulement apparaître de grandes taches de couleur vive, sur les murs. Quand il eut allumé le plafonnier, Lester découvrit que ces taches étaient d'immenses affiches tapissant les cloisons de la chambre, et sur lesquelles Lola Poor apparaissait vêtue d'un sari rouge vif, ou bien d'une merveilleuse robe à traîne bleu nuit, ou encore de la lueur opalescente de sa simple nudité.

— Lola Poor… Lola Poor… semblait méditer Lester. Mais oui ! s'exclama-t-il soudain. *La Tigresse du Bengale ! La Prêtresse du Dieu Soleil !*

— Justement ! fit Suzy. Son film passe ce soir à la télévision.

— Lequel ? s'enquit Lester avec intérêt.

— Celui que vous venez de dire : La Tigresse ou bien la Prêtresse… il y a de la « tresse », ou de la « graisse » dans le titre.

— Soyez donc célèbre ! murmura le policier.

Il s'approcha d'une des affiches et la considéra pendant un moment avec un sourire légèrement amusé. « Celui-ci, c'est Eric von Blenheim, et celui-là, avec sa barbiche, c'est le vieux Victor Franqueur, et celui-ci, à côté de Lola, c'est Jean Maréchal ». Il se tourna vers Suzy, qui le regardait avec un certain étonnement :

— Vous vous rappelez ? lui demanda-t-il. Jean Maréchal, notre play-boy national des années cinquante. Il est mort pendant le tournage, comme ça, tchac ! Il leur a fallu modifier les dernières scènes du film.

— Vous êtes un vrai cinéphile, le complimenta Suzy.

Lester était, au fond, assez content de lui. Et c'était bien la première fois, depuis qu'il avait mis les pieds dans cette maison de fous.

— Si je suis flic, dit-il d'un air avantageux, c'est un peu la faute à Bogart.

Suzy chercha dans sa mémoire.

— Bogart ? C'est vrai ! vous lui ressemblez.

— Vraiment ? demanda Lester, sincèrement flatté.

— Mais oui ! affirma Suzy. Il a chanté à la télévision, l'autre jour. Mais lui, il a les cheveux tout blancs.

Lester arrêta là cette conversation, et commença l'examen de la chambre. On se serait cru dans une minuscule cage de verre, environnée par les visages attentifs et souriants des géants épinglés sur le pourtour de la pièce. Une petite étagère accrochée au mur portait des objets ou des photographies rappelant les divers tournages de Lola Poor. Il s'y trouvait également quelques livres, dont *Anna Karé-*

nine, dans une belle édition reliée, et divers ouvrages de « sagesse orientale ».

Le grand lit à barreaux de cuivre avait été hâtivement retapé. Une vieille poupée de porcelaine, vêtue de dentelle, gisait en travers de l'oreiller et fixait le plafond d'un regard triste. Il lui manquait une main. Devant la fenêtre aux rideaux fermés, une coiffeuse en bois de rose portait une infinité de flacons et de pots, de peignes, de brosses, de ciseaux, étalés sous le miroir du petit meuble comme les pinceaux et les couleurs d'un peintre devant la toile en cours d'exécution.

L'armoire et la penderie étaient pleines de robes somptueuses, mais défraîchies, tassées les unes contre les autres en une masse compacte et bariolée. Il régnait une odeur légèrement écœurante de parfums éventés, de naphtaline, et de poussière. Lester effleura les étoffes du dos de la main, et referma tout doucement la porte de la penderie, comme s'il avait craint de réveiller tout ce qui dormait là. La pensée d'avoir à interroger la grande actrice l'avait tout d'abord séduit. Mais à présent cette perspective lui déplaisait. Il préférait que les suspects et les témoins fussent des gens bien vivants et que l'on pût bousculer un peu.

Après avoir recueilli dans la cheminée, par routine, quelques fragments de papiers à demi consumés, il se hâta de sortir de la chambre.

— M. Linz fumait-il la pipe ? demanda-t-il soudain à Suzy, alors qu'il refermait la porte.

— Non ! Pas que je sache.

— Alors quelqu'un d'autre, parmi vos pensionnaires ?

— Non ! il n'y a que moi. Je fume de l'eucalyptus à cause de mon asthme.

Lester sortit de sa poche une enveloppe, et remplaça le papier qu'elle contenait par les fragments qu'il venait de recueillir. Puis il se tourna vers Suzy et la dévisagea.

— On a trouvé une pipe, à côté du corps de M. Linz, fit-il.

— Vous ne pensez pas que...

Suzy s'arrêta au milieu du couloir, le visage anxieux.

— Non ! répondit Lester après quelques secondes. Quelqu'un l'a mise là pour vous compromettre.

Il s'arrêta devant une porte, et tourna la poignée.

— C'est ma chambre, dit Suzy.

La chatte déguerpit du lit quand ils entrèrent dans la pièce. Le policier regarda le petit animal s'esquiver par une ouverture pratiquée dans la porte-fenêtre. Suzy s'était portée en avant de Lester, pour ramasser prestement le drap tire-bouchonné sur le parquet. Elle rougit en voyant que le policier la considérait d'un œil amusé.

— Je suis tombée de mon lit, cette nuit, et ça ne m'a même pas réveillée, fit-elle d'un ton de gaieté un peu forcée.

Lester aurait bien aimé s'asseoir un instant, car ses chaussures, celle de droite surtout, lui faisaient de plus en plus mal. Mais les deux fauteuils de la chambre étaient encombrés, l'un par un nécessaire à ouvrage tout hérissé d'aiguilles à tricoter, l'autre par une pile de magazines et de revues de mode. Le policier renonça à faire le ménage des fauteuils. Il s'approcha du petit bureau qui se trouvait devant la fenêtre, et jeta un coup d'œil sur l'agenda ouvert. Il sentit que Suzy l'observait pendant qu'il lisait : « 28 décembre, chocolats pour M. Linz : 128 francs. 29 décembre, Adèle fait du gigot. Acheter de l'ail. 200 francs à Juliette, pour ses étrennes. 30 francs au facteur. 30 décembre, une gourmette pour D., 2 800 francs, en deux fois... »

— Mais qui donc voudrait me compromettre ? fit brusquement Suzy, qui n'aimait pas qu'on regarde dans ses comptes.

Lester eut un léger sourire, et referma ostensiblement l'agenda de Suzy sur ses petits secrets, calculés pour ainsi dire au centime près. Il n'eut pas à lui demander qui était ce « D » à qui elle offrait une gourmette 2 800 francs, cela faisait 100 francs pour chaque année qu'elle avait de plus que lui ! Elle ne s'en tirait pas trop mal. Seulement lui, le chérubin, s'était sans doute fait sermonner par son ami David. Même pour un joli bracelet d'or, on ne couche pas avec les dames quand on est le mignon de Monsieur Weins ! Et le pauvre Daniel, pour se faire pardonner, n'avait rien trouvé de mieux, ni de plus stupide, que de jeter la pipe de maman Suzy près du cadavre de M. Linz !

— En dehors de vous-même, demanda Lester, qui d'autre se trouvait ici, cette nuit ?

— Adèle et Albin sont partis vers une heure et demie. Je leur avais proposé de dormir ici, mais leur maison est si près...

— Adèle, c'est la dame qui veut mettre son mari à la fourrière ?

Il était difficile à Suzy de répondre « oui », tout bonnement. Elle aimait bien Adèle, même si elle désapprouvait sa conduite avec le malheureux Albin.

— M. Weins et son ami ont couché ici ? reprit Lester.

— Daniel était un peu souffrant. Ils sont montés les premiers, vers minuit.

— Et ensuite ?

— Juliette s'est couchée un peu plus tard. Elle dort ici, au second. Elle a réveillonné avec nous parce que son fiancé est aux colonies.

— Aux colonies ?

— Enfin, en Martinique, je crois, ou en Nouvelle-Calédonie. Il est CRS.

— Et Mme Lola Poor ?

— Elle s'est couchée la dernière, en même temps que moi.

— Et M. Linz ?

— Juste après que M. Weins et son ami sont montés, il a reçu un coup de téléphone. Un de ses confrères. Un étranger, j'imagine. Il était de passage à Roissy et il voulait lui montrer des jades.

— A une heure du matin ? s'étonna le policier.

— M. Linz voyait souvent ses clients dans les aéroports. Il disait que ça lui faisait gagner du temps, à cause de la douane, je crois.

— Donc, il est parti vers minuit.

— Oui ! Ou un peu plus tard. Il a emprunté ma voiture, et il a dit qu'il dormirait à Paris. Il n'aimait pas beaucoup conduire, la nuit.

— Mais il est rentré, fit Lester. Et peut-être avec son assassin.

— Il est rentré seul, dit Suzy. Vers quatre heures. Moi, je n'arrivais pas à dormir, à cause du champagne. J'adore ça, mais ça me donne de l'asthme. Alors j'ai tricoté pendant un moment...

— ... En fumant une bonne pipe, précisa dans un sourire le policier.

— Oui ! En fumant la pipe. Et vers quatre heures, j'ai fermé mes volets. J'ai vu ma voiture s'arrêter près de la grille du jardin. Et M. Linz était seul, j'en suis certaine.

— Lester s'approcha de la fenêtre et regarda au-dehors, avant de revenir à Suzy.

— Ensuite, vous êtes-vous endormie tout de suite ? N'avez-vous rien remarqué de particulier ?

— J'ai dormi comme une souche. Le champagne, ça commence par m'énerver, et puis vlan ! Je ronfle. Enfin, se reprit Suzy, c'est une façon de parler.

— Je ne voulais pas être indiscret, fit Lester, que l'image de Suzy tombant du lit, entortillée dans son drap, mettait de bonne humeur.

— Vous posez des questions, c'est normal, dit Suzy. Mais il y aurait moins d'indiscrétion si je pouvais m'habiller.

Et elle fit coquettement onduler sur ses hanches le déshabillé de satin bleu pâle qui venait de lui coûter 1 650 francs, payé en deux fois comme la gourmette de Daniel, et pour le même usage.

— Ça vous va très bien, apprécia le policier aux pieds endoloris dans ses chaussures pointues. Mais si vous voulez mettre une robe... Vous êtes chez vous.

Il s'inclina galamment et sortit de la chambre.

CHAPITRE VII

L'inspecteur Lucas finissait d'examiner la valise de M. Linz. Il avait soigneusement étiqueté chacun des objets qui s'y trouvaient, et les flacons étaient prêts à partir au laboratoire. L'inspecteur avait également découvert une liasse de billets de 500 francs, et un carnet de traveller's chèques, en dollars, pour une valeur totale de près de 60 000 francs. Lester arriva sur les entrefaites, lui recommanda de relever les numéros des billets, et entreprit une nouvelle inspection de la chambre : il y passerait le temps qu'il faudrait, mais il arriverait bien à relier ensemble, de manière cohérente, tous les indices qui s'offraient à sa sagacité, d'ailleurs avec un peu de complaisance ! « Il faudrait voir à ne pas trop chatouiller mon mauvais caractère, marmonna-t-il en examinant à nouveau la porte du placard. Je veux bien qu'on assassine les gens avec un brin d'humour, que les cadavres m'accueillent en faisant mine de rigoler, que les pipes jouent les épaves dans les baignoires, mais les plaisanteries les meilleures sont les plus courtes, à moins qu'on ne me paie les heures supplémentaires ! »

L'inspecteur Lucas avait sorti le couteau à cran

d'arrêt qu'il gardait toujours dans la tige de sa bottine (combien de fois son chef lui avait-il rappelé que ce n'était pas réglementaire, tout ça?), et il sondait avec la lame le fond de la valise. Lui non plus, n'avait pas l'intention de se laisser faire. L'assassin s'était employé à brouiller les cartes, et c'était de bonne guerre. Mais quel besoin avait la victime de se mêler de ça, et d'ajouter encore à la confusion en bourrant une valise d'objets bizarres? Alors Lucas jouait du couteau avec les pièces à conviction, histoire de se calmer un peu.

« Au lieu de prendre la clé au tableau et de passer tout bonnement par la chambre voisine, raisonnait Lester, je grimpe par une échelle, pour faire croire à un cambriolage. Mais j'ai bel et bien l'intention d'assassiner ce Monsieur Linz... Je me précipite sur le lit, que je larde de coups de couteau. Un coup! Deux coups! Trois! Quatre! Je m'aperçois enfin que le lit est vide... Vais-je retourner d'où je viens, en attendant la prochaine occasion, ou vais-je me poster près de la porte et guetter le retour de ma victime? Mais... Mais... Quelqu'un d'autre s'apprête à entrer dans la chambre. Et ma retraite est coupée, car ce quelqu'un d'autre vient par le balcon, et la porte de la chambre est verrouillée. Alors je m'enferme dans le placard... Et cela nous fait trois assassins : un dans la salle de bains, et deux dans la chambre. »

Lester se tourna vers son adjoint, qui continuait de fouiller le fond de la valise avec la lame de son couteau.

— J'aimerais bien voir le casier de ce monsieur Linz, dit-il.

— Vous croyez qu'il en a un?

— Trois assassins pour un seul homme, songea tout haut Lester, ce n'est plus un meurtre, c'est un lynchage.

— Je ne sais pas combien il y a d'assassins, chef, mais cette valise, je peux vous dire qu'elle a deux fonds.

Et à l'aide de sa lame, il souleva la cloison qui dissimulait le double fond de la valise. Lester s'accroupit à côté de son adjoint, qui vidait déjà de son contenu un petit sachet de toile.

— Mazette! fit Lester. Je parierais que ce n'est pas du verre blanc.

Une douzaine de diamants, dont le plus petit avait la taille d'un noyau de cerise, roulèrent sur le plancher. A côté de ce trésor se trouvaient une feuille de papier de grand format, couverte de noms et d'adresses, et une pochette contenant des photographies au polaroïd.

— Clichés d'amateur, fit Lester, dans un sourire.

— Mais les poses sont assez naturelles, apprécia Lucas.

— Et les modèles, pleins de bonne volonté.

— Cette écuyère est superbe, avec ses bottes pointues et sa cravache, mais le gros monsieur qui fait le cheval a l'âge d'être son grand-père!

Toutes les photos de la pochette étaient du même goût, et de celles qu'on rachète à bon prix pour ne pas les voir exposées dans les galeries d'art. L'un des modèles, toutefois, n'aurait certainement pas eu les moyens de payer à leur juste valeur les talents du photographe. Lucas tendit à Lester le cliché, où l'on voyait la jeune Juliette, pieds et poings liés aux barreaux de cuivre du lit de M. Linz, totalement offerte aux assauts d'un balai-brosse.

— Vous la reconnaissez, patron?

Quand l'inspecteur Lucas descendit au salon pour chercher la femme de chambre, nul ne remarqua la pâleur subite de la malheureuse. Elle suivit le policier sans dire un mot, mais en chancelant, comme enivrée par l'angoisse.

Suzy, qui venait de descendre et qui portait une robe légèrement décolletée, d'allure très jeune, la suivit du regard et se sentit sourdement dépitée, mais sans pouvoir s'expliquer pourquoi. Adèle traduisit sans aucun doute sa pensée, en disant sur un ton d'aigreur :

— Ils interrogent d'abord les domestiques, maintenant ?

Et elle ajouta, après un instant de réflexion :

— Ils espèrent sans doute recueillir des ragots.

Puis, profitant de l'inattention des gendarmes qui bavardaient toujours avec Albin, elle entraîna Suzy dans le vestibule. Les deux femmes s'assirent devant le standard du téléphone, qui se trouvait dans une sorte de minuscule bureau, ou de cagibi, aménagé sous l'escalier.

— L'inspecteur ne t'a pas parlé des 500 000 francs, n'est-ce pas ? fit Adèle à voix basse.

— Non. Pas encore.

— Eh bien il ne t'en parlera pas, je peux te l'assurer.

Adèle se tut un instant, pour savourer dans le regard de Suzy l'effet de cette révélation. Puis elle reprit :

— J'ai récupéré la reconnaissance de dette. Elle est ici. Au chaud.

Elle montra l'endroit entre ses deux seins.

— Comment as-tu fait ? s'inquiéta Suzy.

— Eh bien, cette nuit, je suis revenue. Tu comprends ? M. Linz était parti voir son client : c'était l'occasion ou jamais.

— Alors tu l'as cambriolé, comme ça, carrément !

— Carrément ! fit Adèle avec un petit rire. Je n'allais tout de même pas te laisser étrangler pour ces cinq cent mille francs !

— Voyons, Adèle ! Ce n'est pas une raison !

— Qu'est-ce qu'il te faut de plus ? Il t'obligeait à vendre « les Glycines » !

— Il ne m'obligeait pas ! Je voulais bien vendre !

— Mais non, tu ne voulais pas ! fit Adèle, péremptoire.

— Si tu le sais mieux que moi… soupira Suzy.

Adèle se sentit soudain déçue, flouée. Elle avait joué les passe-murailles au milieu de la nuit, un pied de biche dans une main, une lampe de poche dans l'autre, tout cela pour rendre service à son amie, et celle-ci lui en était rien moins que reconnaissante. Au contraire ! Elle lui faisait maintenant des reproches : elles avaient bien de la chance que M. Linz eût été assassiné ! Autrement il n'aurait pas manqué de rechercher son papier, et nul doute qu'il n'eût bientôt désigné la voleuse, qui ne pouvait être à ses yeux que Suzy…

— Tu aurais voulu me nuire, conclut celle-ci, que tu ne t'y serais pas prise autrement.

— Mais il est mort ! Tu n'as plus rien à craindre, fit Adèle, triomphante.

Or cela n'avait rien de rassurant pour Suzy, à bien y réfléchir ! M. Linz avait sans doute noté quelque part, sur un livre de comptes, un carnet, son chéquier, ce prêt de 500 000 francs à Mme Suzy Point. Et les policiers ne tarderaient pas à le découvrir. Dès lors le soupçon se porterait naturellement sur elle.

— Et tu sais de quoi ils vont m'accuser, maintenant ? Tu le sais ? répéta Suzy d'une voix que la colère étranglait soudain.

— Mais non ! Tu n'y es pour rien !

— Ah oui ? Et comment vas-tu le prouver, que je n'y suis pour rien ?

— Je ne sais pas… dut reconnaître Adèle, qui fondit en larmes, répétant : « Si seulement il était mort autrement ! D'une embolie ! D'un accident de voiture ! »

— Il est mort d'un sèche-cheveux ! ironisa sombrement Suzy. Et la police est dans la maison !

— Et pourquoi ? Pourquoi fallait-il qu'il meure comme ça ?

— C'est à croire que l'assassin savait que tu venais de voler ce papier, et qu'il a tué M. Linz en étant assuré qu'on accuserait quelqu'un d'autre.

Adèle s'arrachait les cheveux : elle comprenait tout, à présent. Elle revoyait ce qui s'était passé la nuit dernière dans la chambre de M. Linz, et qui l'avait tellement stupéfaite. Or à présent, tout devenait clair ! Elle avait provoqué sans le savoir le meurtre de M. Linz. Elle avait sans le savoir offert à l'assassin l'assurance de l'impunité. Elle était trop impatiente, trop impulsive. Elle réfléchissait toujours trop tard !

— Mais qui ? demanda Suzy. Qui donc ?

— Je ne les ai pas vus, répondit Adèle.

— Ils étaient plusieurs ?

— Ils étaient deux ! Mais pas ensemble !

Adèle raconta d'abord comment elle avait pris sur le tableau la clé de la chambre 5, et comment elle était passée par le balcon commun aux deux chambres pour entrer chez M. Linz, en forçant la fenêtre.

— Mais s'il n'était pas mort, l'interrompit Suzy, il aurait vu les traces d'effraction !

— Sans doute, répondit Adèle. Mais puisqu'il est mort...

Et elle reprit son récit : le plus difficile, pour elle, avait été, non pas de trouver la reconnaissance de dette, mais de quitter ensuite la chambre. Au moment où elle remettait de l'ordre dans les papiers qu'elle avait pris dans le tiroir, un bruit, du côté de la fenêtre, la faisait sursauter. Elle lève la tête, et que voit-elle ? Une échelle en appui contre le balcon ! Adèle s'immobilise, pétrifiée, puis, sans réfléchir, elle se précipite vers la porte de la chambre. Mais elle est verrouillée. Aucune issue, et dans une seconde il sera trop tard. Adèle avise alors la penderie, et s'y dissimule, en veillant toutefois à ce que la porte ne se referme pas complètement.

Un homme apparaît sur le balcon. L'obscurité ne permet pas de distinguer ses traits. Il marque un bref temps d'arrêt, en découvrant que les volets et la fenêtre sont déjà ouverts. Va-t-il rebrousser chemin ? se demande Adèle. Mais il se lance à l'intérieur de la pièce, vers le lit. Adèle voit briller la lame d'un couteau, et il se passe alors quelque chose d'extraordinaire : l'homme enfonce l'arme à quatre reprises dans le matelas, avant de se redresser, réalisant que le lit est vide, et de reculer de quelques pas en regardant autour de lui. Que va-t-il faire maintenant ? Pendant une seconde, Adèle pense qu'il a vu la porte entrouverte de la penderie, et qu'il va s'y précipiter, le couteau brandi, croyant que sa victime, M. Linz, s'est réfugiée là! Mais non! L'homme assouvit sur les meubles sa colère d'avoir manqué son coup. Il jette en tous sens les objets et les papiers qui se trouvent sur le bureau. Il saisit ensuite une chaise et s'apprête à la lancer contre la vitrine aux objets d'art, quand un pas se fait entendre dans le couloir. L'homme suspend son geste et repose doucement la chaise. Il gagne enfin la fenêtre, à reculons, enjambe le balcon, et disparaît au moment où la porte de la chambre s'ouvre.

Le faisceau d'une lampe de poche balaie alors la pièce pendant une seconde. Mais découvrant les papiers épars et les meubles renversés, le visiteur (ou la visiteuse. Adèle n'a pas eu le temps de voir) pousse un cri étouffé, et éteint la lampe. Quelques secondes passent dans un silence, une obscurité, une immobilité parfaits. Adèle reprend son souffle et se demande même si elle n'a pas rêvé. Sans doute le visiteur se pose-t-il la même question. Mais il avise la fenêtre ouverte, et l'échelle posée contre le balcon : quelqu'un est entré par là.

Quelques secondes passent encore. Le visiteur n'a pas bougé. Adèle entend sa respiration, à deux mètres, peut-être, d'elle, et se demande si son propre souffle n'est pas aussi nettement perceptible. Mais le visiteur a dû se persuader maintenant qu'il est seul dans la pièce. Il bouge. Adèle l'entend fouiller parmi les papiers. Lui aussi, est venu cher-cher quelque chose. Et si c'était Suzy ! se demande-t-elle, venue reprendre elle-même la reconnaisance de dette...

— Je ne suis pas si stupide, l'interrompt Suzy. Et de toute façon je n'ai pas la clé de cette chambre, tu le sais bien !

— J'ai ouvert un peu plus la porte de la penderie, pour essayer d'y mieux voir, poursuivit Adèle. Mais j'ai dû faire du bruit, ou bien la porte a grincé légèrement. L'autre, dans la chambre, s'est immobilisé. Le silence total, pendant une seconde ! Je retenais mon souffle, mais j'avais l'impression qu'on entendait mon cœur, c'était horrible ! Et tout d'un coup, vlan ! Je reçois le battant de la porte sur le nez ! On tourne la clé ! Me voilà prise au piège ! Par chance, j'avais encore sur moi le pied de biche qui m'avait servi à forcer la fenêtre !

— Tu dois dire tout ça aux policiers, fit Suzy.

— Alors, il faudrait que j'explique pourquoi je suis allée dans cette chambre ?

— On vient d'assassiner M. Linz en l'électrocutant. Je n'y suis pour rien. Absolument pour rien ! Et toi non plus ! Alors il vaut mieux avouer cette stupide histoire, avant qu'elle ne nous fasse soupçonner, toi et moi...

Suzy prit Adèle par les épaules et la secoua presque rudement.

— Mais pourquoi donc as-tu fait ça ? pourquoi donc ? s'écria-t-elle.

— Mais pour nous, ma chérie ! Nous sommes heureuses, ici. Cet homme allait t'obliger à vendre « Les Glycines ». Et à cause de moi ! Je ne pouvais plus supporter cette idée !

— J'ai emprunté cet argent parce que tu en avais besoin. Est-ce que je te l'ai jamais reproché ?

— Ah oui ! fit Adèle en s'esclaffant. Grâce à toi, je conservais ma maison, mais tu vendais la tienne. Et j'aurais accepté ça ?

— Il aurait mieux valu, dit sombrement Suzy.

— Ce type t'a donné les 500 000 francs en billets,

argumenta Adèle. Tu ne trouves pas ça bizarre ? J'ai toujours pensé qu'il n'aimait pas les opérations qui laissent des traces. Il devait avoir ses raisons. Et en y réfléchissant je suis presque sûre qu'en dehors du papier qu'il t'a fait signer, ton emprunt ne figure nulle part.

— Dieu veuille t'entendre ! Mais il a bien autre chose à faire, pour le moment.

— Oh, oui ! renchérit Adèle dans un sourire. Sa journée risque d'être chargée.

Les deux femmes se regardèrent, persuadée chacune que l'autre ne lui disait pas toute la vérité. Mais elles s'embrassèrent tendrement, car rien ne vaut une amitié de vingt ans. Les mensonges, les petites vacheries, et même le cadavre de M. Linz n'y changeraient rien, n'est-ce pas ?

CHAPITRE VIII

Robert Lester avait rangé dans sa veste, à côté des fragments de papiers trouvés dans la chambre de Lola Poor, les clichés au polaroïd de la collection privée de M. Linz. L'une de ces photographies constituait un témoignage accablant contre Juliette : on y découvrait à la fois le mobile et les circonstances du crime. Linz soumettait la jeune fille à de sordides fantaisies sexuelles, et la malheureuse, pour mettre fin à cet esclavage, l'avait assassiné ! Cela lui était facile : la victime l'attendait dans la baignoire, la pressait sans doute de l'y rejoindre. Il suffisait alors d'un geste, mettre en marche le sèche-cheveux qui se trouvait à sa place habituelle, et jeter dans l'eau cet instrument de mort si peu effrayant.

Recroquevillée sur le bord de la chaise où l'inspecteur Lucas l'avait fait asseoir, le visage baigné de larmes, la pitoyable Juliette, pourtant, ne faisait pas une coupable bien satisfaisante. On imaginait mal cette meurtrière minable s'emparant de sang-froid des clés de sa victime, après le crime, et s'en allant fouiller dans sa chambre pour essayer d'y retrouver cette photo, justement, que Lester venait de ranger dans sa poche.

Or la chambre de Linz avait été mise à sac dans la nuit, plusieurs cambrioleurs s'y étaient sans doute succédé, voire rencontrés, et nul doute que l'un d'eux ne fût l'assassin. Mais Juliette, décidément, n'avait pas sa place dans ce vaudeville sinistre !

Lucas semblait partager ce sentiment, et faisait les cent pas dans la chambre, l'air gêné, pendant que son chef interrogeait la bonne. Celui-ci se tenait assis face à elle, légèrement penché en avant, ses genoux touchant presque ceux de la jeune fille : on aurait dit qu'il voulait examiner comme un médecin les paroles de Juliette dans le fond de sa gorge.

— Donc, répéta Lester, ce jour-là, vous faites le ménage dans la chambre, et, exceptionnellement, vous vous y trouvez seule.

— Oh ! Pas plus de cinq minutes ! M. Linz avait trop peur qu'on touche à ses affaires. Il ne disait jamais rien, mais il avait une telle façon de vous regarder...

— Que vous n'aviez pas envie de le contrarier ! Mais vous auriez bien voulu savoir quand même ce qu'il cachait dans sa grosse valise.

— Je ne voulais rien prendre, je vous le jure, s'écria Juliette. Je voulais juste regarder.

Lester posa la main sur le genou de la jeune fille. Celle-ci se recroquevilla un peu plus. Il aurait bien aimé trouver le vrai coupable dans l'instant, par une intuition miraculeuse, et rendre à Juliette la vilaine photographie.

— M. Linz quitte la chambre, reprit-il, et oublie son gros trousseau de clés sur le bureau. Alors vous prenez le trousseau et vous ouvrez la valise, c'est bien cela ?

— Oui, monsieur ! Et j'ai vu tous ces instruments

bizarres, et puis des billets de cinq cents francs. Une liasse énorme !

— Et pendant que vous regardez ces billets, M. Linz rentre sans se faire annoncer, et se met à crier que vous êtes en train de le voler.

— Oh, non, monsieur ! Il n'a pas crié. Il parlait tout bas, au contraire.

Lester ne put réprimer un sourire. M. Linz n'allait pas crier, bien sûr ! Il fallait encore moins porter plainte contre la prétendue voleuse. Mais cela, Juliette ne le devinait pas : elle était incapable de se défendre contre un M. Linz. Elle n'avait même pas assez d'esprit pour imaginer un méfait avant que l'on le lui mît sous les yeux.

— Donc, il vous dit tout bas qu'il va vous dénoncer à la police... Et encore plus bas, il vous suggère que si vous avez pour lui certaines gentillesses, il pourrait ne pas vous dénoncer.

— Oui, monsieur ! C'est arrivé comme ça.

— Et plus tard, pendant que vous lui faites les gentillesses qu'il vous a enseignées, il vous prend en photo...

Juliette éclata en sanglots :

— Et il m'a dit que si jamais je parlais de ce que j'avais vu dans la valise, il enverrait ça à mon fiancé !

Lester se leva et se mit à arpenter la pièce silencieusement, comme s'il s'était trouvé seul. Sa conviction était faite : Juliette ne lui avait rien appris qu'il n'eût aisément pu deviner. Cette fille dénuée de malice, pauvre poupée sans autre espèce d'attrait que son effrayante naïveté, n'avait certes pas l'étoffe d'une criminelle !

— Qu'est-ce qu'ils fabriquent à l'identité judiciaire ? marmonna le policier en consultant sa montre. Ce type doit avoir un casier gros comme l'annuaire du téléphone !

Puis il se tourna vers Juliette, qui continuait de sangloter, et lui dit avec un sincère accent de sympathie :

— Voyez-vous, mademoiselle, M. Linz tenait moins à ses gros billets qu'à ses petits secrets. Ne regrettez pas trop les complaisances que vous avez eues pour lui ! Grâce à elles, il s'assurait de votre silence. Vous leur devez sans doute d'être encore en vie.

Vers midi, l'inspecteur Belmont descendit au salon et autorisa les pensionnaires à gagner leurs chambres, s'ils le désiraient, et à s'habiller enfin.

L'usage de la salle de bains des messieurs était encore interdit. Daniel et David se frictionnèrent mutuellement à l'eau de Cologne, dans leur chambre, avant de passer leurs vêtements. Daniel mit à profit ce moment d'intimité pour révéler à son ami comment il avait jeté la pipe de Mme Point dans la baignoire du mort, juste avant l'arrivée des policiers.

— Mais tu es complètement idiot ! s'écria David. Ou bien tu cherches à la disculper ! Est-ce que tu crois qu'ils vont gober cette histoire ?

Daniel était en effet d'une stupidité désarmante. Ce garçon si beau, d'un caractère toujours agréable, dissimulait habituellement sa sottise sous un dehors de timidité charmante. Il se trouvait devant les autres, devant la vie, ou face à lui-même, comme devant un insondable mystère. Il avait beau faire, il avait beau réfléchir à s'en donner la migraine, il ne comprenait jamais très bien ce qu'on attendait de lui. Alors il s'en remettait à ce que sa maman ou ses maîtres, jadis, appelaient son « bon naturel », et il s'efforçait uniquement de plaire, laissant aux autres le soin d'expliquer ce qui lui arrivait. Si Daniel ne savait pas dire « non », c'était moins par défaut de volonté que par un total manque de conception.

— Ah, Daniel ! Daniel ! le grondait tendrement son ami. Tu es un petit enfant !

Lola Poor se pinça les lèvres pour étaler convenablement le trait de rouge qu'elle venait d'y dessiner. Son regard, dans le miroir de la coiffeuse, était impassible, comme celui d'une couturière ou d'une ravaudeuse appliquée à sa tâche. Elle reposa le bâton de rouge, se tapota les joues, et enleva la serviette qu'elle s'était nouée en turban sur les cheveux. Une crinière noire et luxuriante s'étala sur ses épaules, comme une jungle jaillissant d'un temple ou d'une cité d'autrefois. Lola Poor se leva, et gagna la fenêtre.

Des nuages lourds s'éloignaient lentement vers l'est, et semblaient faire ployer l'horizon. Il ne pleuvait plus, mais au fond du jardin, la petite barque vermoulue qu'Adèle avait remplie de géraniums et d'hortensias n'était plus qu'un informe monticule de terre boueuse. Lola quitta la fenêtre et ouvrit la porte de l'armoire. Toutes ses robes étaient là, toute sa gloire passée, tous ses souvenirs. Elle tendit la main et choisit sans hésiter le long fourreau noir, rouge et or qu'elle avait porté dans la dernière scène de *La Prêtresse du Dieu-Soleil*.

Albin Kuque était resté au salon avec les gendarmes. Les trois hommes étaient passablement ivres et ressassaient ensemble leurs déboires conjugaux.

— L'autre jour, disait le plus âgé des deux gendarmes, elle oublie de mettre le pinard sur la table. Alors je proteste, évidemment! Elle se lève en traînant la savate. Elle reste cinq bonnes minutes à fourrager dans la cuisine, elle revient avec la bouteille de blanc, elle me verse un coup, et moi je me dis : « ma vieille, tu as un drôle de sourire avec les trois dents qui te restent ». Je reniffle mon verre, par prudence, et qu'est-ce que c'était? De l'eau de Javel!

Albin voulut expliquer encore une fois comment Adèle le menaçait de le jeter un jour du haut du grand escarpement qui domine la voie ferrée, près de leur maison, mais le gendarme trouvait que tout cela n'était que de l'enfantillage, à côté d'une tentative de meurtre à l'eau de Javel.

— Et le pauvre type, là-haut, fit son collègue : avec un sèche-cheveux! C'est signé, ça aussi! C'est une femme!

Suzy était montée dans sa chambre, et venait de s'étendre sur le lit pour quelques minutes. Sa migraine, qui s'était un peu calmée en fin de matinée, lui faisait à nouveau souffrir le martyre. La chatte était rentrée par l'ouverture ménagée dans la fenêtre, et s'était mise à ronronner sur l'oreiller, près du visage de sa maîtresse, qu'elle surveillait vaguement d'entre ses paupières mi-closes.

Suzy se rappela soudain que Cécile devait venir pour déjeuner. Bien sûr! Depuis ce matin on n'avait pas changé de jour, et c'était le jour de l'An! Hier soir on avait réveillonné! M. Linz n'était mort que depuis quelques heures, et Cécile allait arriver d'une minute à l'autre, avec un flacon d'eau de toilette pour maman et un foulard pour tante Adèle, à moins que ce ne fût le contraire, le foulard pour maman, et l'eau de toilette pour Adèle... Et tout cela, le foulard, le papier de soie, et le ruban autour du paquet, et les trois baisers rituels, un pour chaque joue, et puis tiens! Encore un autre! Et puis les « Bonne Année, maman! Bonne Année, madame Lola! » Non, décidément, ça n'allait pas avec le cadavre déjà tout raide dans la baignoire (il lui semblait qu'il était là depuis des mois), ça n'allait pas avec les policiers, avec les gendarmes, avec l'ambulance qui venait de se garer devant le perron, et qui allait peut-être emporter enfin le corps, mais pas tout de suite, sans doute pas tout de suite, car on entendait les deux hommes en blouse blanche bavarder avec l'un des inspecteurs, en bas, dans le vestibule, et personne n'avait l'air pressé, personne ne se souciait d'ouvrir les fenêtres et de faire partir cette odeur de mort qui flottait dans la maison, personne!

Suzy se leva sur un coude, caressa distraitement le ventre de la chatte, et pensa téléphoner à Cécile pour lui dire de ne pas venir, mais il était trop tard, Cécile devait être en route depuis longtemps, alors le mieux serait de l'attendre en bas, et de lui expliquer tout doucement ce qui se passait.

Suzy rajusta sa coiffure devant le miroir de la cheminée. Elle se mouilla un doigt, se lissa les sourcils, et trouva que sa robe bleue, avec son décolleté généreux, faisait un peu « jeune », peut-être. Un peu « jeune » pour les circonstances.

Elle ouvrit la porte sur le couloir, et elle aperçut Daniel qui sortait de sa propre chambre, seul.

— Daniel ! Daniel ! fit-elle à voix basse.

Le jeune homme s'immobilisa, et regarda Mme Point, l'air de ne pas savoir comment s'échapper.

— Daniel ! fit encore Suzy.

Le jeune homme entra dans la chambre, de mauvaise grâce. Il n'avait qu'à faire semblant de ne pas entendre, lui aurait dit David, et filer vers l'escalier. David lui disait toujours ce qu'il aurait dû faire, mais c'était toujours trop tard ! Suzy saisit le jeune homme par le bras, et referma la porte derrière lui. Il se passait tant de choses extraordinaires, depuis ce matin ! Elle se sentait capable de prendre Daniel, là, contre la porte, de le violer. Et Daniel le devinait bien, qu'il allait être encore bousculé : à chaque fois ça lui donnait le vertige, la même faiblesse dans les jambes. Depuis qu'il avait douze ou treize ans, les gens, toutes sortes de gens, s'ingéniaient à le manipuler dans tous les sens, et ça ne lui plaisait pas toujours, mais il ne savait pas dire non ! Il n'avait jamais su !

— Je ne peux pas, bredouillait-il. David m'a fait jurer !

Mais Suzy le tenait serré contre elle, et le caressait déjà sous sa chemise.

— Je ne sais plus où j'en suis ! reconnaissait-il.

— Pourquoi te retiens-tu ?

— David le saura ! s'écria le malheureux. Il a déjà su, pour l'autre fois.

A ce nom, Suzy relâcha son étreinte, et, haussant les épaules, alla s'asseoir. Daniel remonta la fermeture Eclair.

— Celui-là ! maugréa-t-elle. Toujours l'oreille contre la porte ! Qu'est-ce qu'il est venu fricoter ici, dans ce coin perdu ? Tu dois bien le savoir, toi !

— Il vaut mieux que je m'en aille.

Daniel avait entrouvert la porte. Tout redeviendrait simple, quand il serait dans le couloir. Suzy Point n'existait pas vraiment. Elle était comme un rêve : bon ou mauvais, il ne savait même pas. Elle apparaissait soudain, dans l'escalier, entre deux portes, et elle s'emparait de lui. Pendant plusieurs minutes, alors, il avait l'impression de tomber, et plus il s'accrochait à Suzy, plus il tombait, ça n'en finissait pas. Il se sentait mourir, mais c'était délicieux. Ensuite il se réveillait, bien sûr, et il se disait qu'il avait rêvé. Alors il oubliait Suzy. Il pouvait l'oublier. Et il jurait à David qu'il ne s'était rien passé. Mais David avait tout vu. Comment faisait-il ? C'est impossible ! Comment faisait-il pour voir ce qui était seulement le rêve de quelqu'un d'autre ?

— C'est lui, qui t'a dit de jeter ma pipe dans la baignoire ? fit Suzy.

Les jambes de Daniel tremblèrent un peu plus. Tant que Suzy le regarderait, il ne pourrait pas bouger. Jamais personne ne lui avait fait cet effet. Elle n'avait même pas besoin de le toucher pour l'immobiliser, pour le maîtriser complètement. Le regard suffisait. Malgré sa faible taille, Daniel était très vigoureux. Les petits bras importuns de Suzy n'auraient pas pu le retenir longtemps. Mais il y avait ce regard, sous lequel Daniel n'était plus qu'un objet inerte et nu. Que se passait-il donc dans ce regard ? Que laissait-il transparaître soudain ? Quelle force ? Quelle détermination du désir, capable de faire du jeune homme une proie docile et fascinée ? Peut-être Suzy Point se rappelait-elle dans ces moments de passion furtive qu'elle avait été jadis une mangeuse d'hommes, et qu'elle le demeurait au fond. Quelque chose d'étrange et de terrible venait habiter alors la paisible patronne de la pension « Les Glycines ».

— Va donc le rejoindre ! fit-elle, soudain dégrisée, va rejoindre ton ami ! Va faire l'esclave !

La porte s'ouvrit alors en grand, mais Daniel n'y était pour rien.

— Quel esclave ? demanda Cécile, souriant sur le seuil.

Puis elle ajouta, réalisant qu'elle avait poussé un peu vite la porte et qu'elle entrait peut-être dans une histoire qui ne la regardait pas :

— Oh, pardon ! Bonjour quand même !

Daniel s'était déjà glissé au-dehors sans demander son reste. Suzy demeura une seconde interdite. Les enfants grandissent trop vite : il y avait naguère ce qu'on ne pouvait encore leur expliquer. Il y a maintenant ce qu'on n'ose plus leur avouer. Et ce sont les mêmes choses !

Cécile avait les joues toutes roses, à cause du froid qu'il faisait dehors, ou bien de ce qu'on venait de lui apprendre sur M. Linz. Ou bien était-ce d'avoir surpris sa mère avec le jeune Américain ? Ou bien avait-elle toujours les joues roses, en complément, pour ainsi dire, de ce qui remplissait si bien ses « jean's » moulants ?

Elle jeta sur le lit la grosse sacoche de cuir noir qu'elle tenait en bandoulière, et elle embrassa sa mère en oubliant de lui offrir son flacon d'eau de toilette.

70

— Tu sais, bredouillait Suzy... Aujourd'hui...
Tout le monde est bouleversé...

— On l'a vraiment assassiné ? Tu crois ?

— Ça ne fait pas l'ombre d'un doute.

— Il avait l'air plutôt gentil, fit la jeune fille, qui
savait pourtant qu'on n'assassine pas que les
méchants.

Vers une heure, Adèle envoya la petite Juliette
prévenir tout le monde que le rosbif était prêt. Lola
Poor, David Weins, Suzy et Cécile se retrouvèrent
sur le palier du premier, où il fallut patienter
quelques secondes, car les deux hommes en blouse
blanche emportaient M. Linz, et ils observèrent un
arrêt au milieu de l'escalier pour ne pas perdre le
cadavre, qui était mal arrimé à la civière.

Adèle avait fait mettre un couvert pour l'inspecteur Lester, mais les policiers restèrent dans la
chambre de la victime, où ils avaient établi leur
« quartier général », et se firent monter des
sandwiches. Lester attendait toujours les informations de l'Identité judiciaire, et commençait à perdre
patience. Les autres lui rappelèrent qu'on était le 1er
janvier, et que les services fonctionnaient au ralenti.

Dans la salle à manger, la conversation languissait
un peu. Tout le monde, même Adèle, était anxieux
et fatigué. Cécile n'osait pas poser trop de questions.
Elle sentait que sa mère était très affectée par le
sinistre événement. Elle aurait voulu l'aider, mais
elle se demandait comment. Elle savait bien que les
assassinats n'ont pas lieu dans les journaux seulement, et pourtant elle n'avait jamais imaginé qu'elle
pût se trouver un jour devant cette réalité toute
crue. Elle se trouvait prise au dépourvu.

David Weins et Daniel mangeaient en silence, sans regarder personne. Le couvert disposé pour l'inspecteur Lester les séparait des autres convives. Cécile se demandait pourquoi sa mère, tout à l'heure, avait traité le jeune homme d'« esclave », et sur quel ton de mépris ! Un mépris comme on n'en peut concevoir, soupçonnait la jeune fille, qu'après avoir surpris un être dans son ultime laideur. Alors se pouvait-il que maman Suzy et ce jeune homme... Mais Cécile ne voulut pas formuler jusqu'au bout cette pensée : c'était aussi incongru que d'imaginer le cadavre de M. Linz dans la baignoire.

CHAPITRE IX

L'inspecteur Bismuth trouvait Juliette à son goût. Comme beaucoup d'hommes, sans doute, il aimait ces « filles simples », qu'il imaginait volontiers agenouillées entre un seau et une serpillière, les mains ruisselant de lessive. L'histoire de la photographie au balai-brosse, que Lucas venait de lui raconter, s'accordait assez bien avec cette image. Le policier s'empressa auprès de la jeune fille pendant qu'elle préparait les sandwiches, la complimenta sur son sourire alors que la malheureuse retenait à grand-peine ses larmes, et finalement lui soutira deux bouteilles de champagne, qu'il alla mettre au frais dans la baignoire de M. Linz.

On était bien plus gais dans la chambre du mort que dans la salle à manger des pensionnaires, d'autant plus que Lester avait momentanément quitté ses chaussures et sentait un bien-être subtil l'envahir par les pieds.

Juste avant le repas, le jeune inspecteur Lucas s'était distingué en découvrant parmi les papiers de la victime un document faisant état d'un prêt de 500 000 francs à Mme Suzy Point : c'était le premier indice vraiment sérieux dans cette affaire, et Lester se promettait de mener les choses rondement, après le repas, si ses pieds ne lui faisaient pas trop mal. Le champagne aidant, tout le monde était donc de fort bonne humeur quand l'inspecteur Clouzot, de l'Identité judiciaire, appela enfin Lester pour lui lire le dossier concernant la victime.

— Messieurs, restons sobres! dit le policier en raccrochant le téléphone. Nous avons ferré du très gros poisson.

Et il lut à ses collaborateurs les renseignements qu'il venait de noter sur une facture de l'E.D.F., à côté du rendez-vous avec la petite Nathalie, au *Lapin Chasseur,* ce soir mais pas avant dix heures.

— Roger Linz... né le 25 février 1919, énonçait-il lentement, ayant à déchiffrer sa propre écriture... médecin colonial... exerce en Afrique équatoriale, puis en Guyane française... Il rentre en métropole en 1954, et ouvre l'année suivante, à Antibes, une clinique ultra-luxueuse où l'on pratique des cures de rajeunissement. Succès immédiat. Clientèle fortunée. Plusieurs célébrités de la politique et du cinéma...

— Cette Lola Poor, l'interrompit Lucas... est-ce qu'elle n'aurait pas été l'une de ses clientes?

— Elle n'avait que 28 ou 30 ans, à l'époque, fit observer Lester, qui reprit : Après quelques mois, la clinique connaît ses premiers incidents. L'une des patientes meurt brutalement, puis une autre. Linz est poursuivi. Mais on étouffe l'affaire, et notre bon docteur poursuit ses activités pendant encore deux ans. Mais en juillet 1957 c'est la catastrophe. Une demi-douzaine de morts en quelques jours : enquête, procès. Linz est radié de l'Ordre des médecins et condamné à cinq ans de réclusion. Son soi-disant traitement comportait des injections quotidiennes de curare, parmi quelques autres saloperies. Après trois ans, Linz est libéré sur parole, et ne fait plus parler de lui... jusqu'à aujourd'hui.

— Voilà qui explique le stéthoscope et les seringues dans la valise noire, observa Lucas.

— Cela explique aussi les gros billets de banque et les diamants, fit Lester. Ce bon docteur n'avait certainement pas cessé tout à fait ses activités.

— Et sans doute se faisait-il payer d'autant plus cher qu'il était interdit, supposa Lucas.

— Comme les avorteurs d'autrefois, fit Ravier.

— Et les clichés au polaroïd ? demanda Belmont.

— Cela complète assez bien la panoplie, estima Lester. Avec sa petite collection d'instantanés, le médecin de ces dames s'assurait le silence et la fidélité de sa clientèle.

— Mais ces photos, objecta Lucas, comment les a-t-il obtenues ?

— Ce n'est pas le plus difficile, assura Lester. Des dames et des messieurs d'un certain âge s'adressent à un médecin radié de l'Ordre, ancien taulard, et lui demandent de leur rendre leur beauté ou leur vigueur d'autrefois. Il leur fait ces piqûres, et leur offre ensuite de s'assurer que la cure a pleinement réussi. La séance de pose, en quelque sorte, fait partie du traitement.

— C'est clair, conclut Lucas. Il faut chercher l'assassin parmi les clients de Linz !

— Ou parmi ses anciens clients, dit Lester. Clouzot m'a donné les noms des six victimes pour lesquelles notre Linz s'est fait épingler en 1957. Parmi elles, nous avons une Clara Weins, d'Atlanta. Or il y a ici un autre Weins. David Weins... d'Atlanta également...

CHAPITRE X

— Messieurs les policiers, vous arrivez pour le dessert, minauda Suzy en levant son verre.

Et elle arborait son plus beau sourire, celui du Bordeaux-Paris, jadis. Mais l'inspecteur principal Lester venait de remettre ses chaussures trop étroites, et l'inspecteur Lucas avait enfilé, pour faire bonne mesure, sa physionomie la plus policière. Les deux hommes demeurèrent à un pas de la table, et prièrent, l'un, M. Weins de le suivre, l'autre, Mme Point de bien vouloir l'accompagner. Suzy se leva en oubliant le sourire dans son verre. David se dressa et déposa solennellement sa serviette sur le bord de la table, comme il l'eût fait de son testament. Daniel avait pâli, et venait de se mordre la langue. Adèle avait plongé le nez dans son assiette et n'en bougeait plus. Lola Poor regardait tout cela d'assez loin, mais s'étonnait tout de même que la scène ne comportât pas la moindre réplique pour elle. Albin Kuque ronflait paisiblement. Il se réveilla soudain en réclamant à boire, et personne ne fit attention à lui. Cécile regarda sa mère se lever et suivre Lucas. L'inquiétude qu'elle ressentait ne l'empêcha pas de trouver à son goût le jeune policier.

— On fait un petit tour dans le jardin ? demanda Lester à David, ou bien préférez-vous le coin du feu ?

— Comme vous voudrez, fit David, dans un souffle.

— Eh bien allons au jardin ! Ça nous fera digérer.

Daniel s'était levé, avait enlevé son chandail, et le tendait à son ami.

— Il fait froid, dehors ! Mets ça !

Puis le jeune homme alla se rasseoir.

— Madame Point, dit l'inspecteur Lucas. Il nous reste le coin du feu, si vous le voulez bien.

Lester et David Weins atteignirent la berge de la Seine, au bout du jardin, sans s'être encore rien dit. C'était l'habitude de l'inspecteur, quand il entreprenait un interrogatoire, que de laisser d'abord son client se morfondre un peu : ces deux ou trois minutes d'attente pouvaient être décisives chez les sujets les plus nerveux. Or David Weins, à n'en pas douter, était un nerveux : les mâchoires serrées, les poings fermés dans les poches de son pantalon, il dépensait pour le moment autant d'énergie à se taire qu'il en déploierait tout à l'heure à se défendre.

— C'est un endroit comme on n'en trouve pas aux États-Unis, dit Lester en montrant les coquettes maisons qui moutonnaient sur l'autre rive de la Seine.

— Si... dans l'Est... Vous devriez y aller voir, fit David, d'un ton agressif.

— C'est trop loin, et j'ai trop mal aux pieds,

78

sourit Lester, qui enchaîna : vous êtes le fils de Mme Clara Weins, n'est-ce pas ?

— Oui !

— Et vous êtes venu ici pour tuer le Dr Linz.

— Oui !

— Eh bien ! s'esclaffa le policier. C'est un vrai plaisir de vous interroger !

— Je suis venu pour le tuer, reprit calmement David, mais je ne l'ai pas fait...

— Car vous ignoriez que Linz avait quitté la pension vers minuit, et vous avez seulement assassiné son lit.

David darda sur le policier un regard d'une extraordinaire dureté. Celui-ci se demanda pendant une seconde ce qui se serait passé si l'Américain avait eu un pistolet dans la main. Rien, probablement. David était crispé à se rompre les veines du cou, mais parfaitement maître de lui.

— Je n'ai pas la moindre envie de plaisanter, fit-il entre les dents. Ma mère est morte quand j'avais cinq ans. Mon père ne s'en est jamais remis. Il a mis fin à ses jours trois ans plus tard. Alors j'ai décidé de tuer ce Dr Linz !

— Par devoir, en quelque sorte.

— Oui, c'était mon devoir ! s'exclama David. Pendant des années, pourtant, j'ai essayé de chasser cette idée de mon esprit, mais rien à faire ! Alors je suis venu dans ce pays, et j'ai retrouvé la trace de cet assassin.

Il tourna soudain les talons et voulut regagner la maison, comme s'il avait décidé lui-même que l'interrogatoire était terminé, qu'il en avait assez dit, et qu'il ne devait rien, au fond, à ce policier, n'étant comptable de ses actes qu'envers sa propre conscience. Mais Lester n'en avait pas fini avec lui.

— Vous êtes entré par la fenêtre, n'est-ce pas ?

— Oui ! Avec l'échelle ! lui jeta David d'un ton excédé.

— Vous avez forcé les volets ?

— Non ! C'était ouvert.

— Ça ne vous a pas étonné ?

David haussa les épaules :

— Il fallait que je le tue, c'est tout !

— Quand vous vous êtes aperçu que le lit était vide, qu'est-ce que vous avez fait ?

— Je suis reparti.

— Alors, ironisa le policier, vous traversez l'Atlantique pour tuer ce monsieur, et vous vous contentez d'abîmer un peu son lit !

— Quelqu'un allait entrer par la porte.

— Et vous n'avez pas pensé que c'était lui ?

— C'était trop tard. Je ne pouvais plus le tuer. Je me suis enfui... Je suis très lâche, avoua-t-il enfin.

— Vous n'êtes certainement pas un lâche, rétorqua Lester. Et je crois que vous vous moquez de moi !

Deux gendarmes s'étaient postés dans le vestibule, devant la double porte vitrée de la salle à manger. Autour de la table, où l'on dégustait censément le dessert préparé par Adèle, chacun se demandait si ces gendarmes se tenaient là par hasard, ou s'ils en avaient reçu l'ordre. Adèle aurait bien voulu se lever de table, et aller rôder du côté du salon, où l'inspecteur Lucas interrogeait Suzy. Mais les deux gendarmes la verraient, et même s'ils la laissaient sortir de la salle à manger, ils lui interdiraient certainement l'accès du salon.

Daniel avait tourné sa chaise de manière à surveiller la fenêtre, derrière laquelle on voyait David et l'inspecteur Lester aller et venir côte à côte sur l'allée gravillonnée, de la maison à la berge de la Seine. Ils s'arrêtaient de temps à autre : les deux hommes demeuraient face à face pendant quelques secondes, leurs arguments s'affrontaient dans le froid en buées irrégulières et fugitives. Cela faisait une sorte d'écriture, malheureusement indéchiffrable.

Le silence régnait autour de la table. Chacun ruminait ses propres raisons d'être inquiet, sans oser trop regarder les autres, et redoutant qu'on ne décelât sur son propre visage les marques de l'anxiété.

Après un moment, Adèle n'y tint plus, et proposa, d'une voix un peu trop aiguë :

— Nous devrions peut-être offrir du dessert à ces gendarmes.

Personne ne se soucia de la désapprouver. Aussi se leva-t-elle, pour prendre dans la desserte deux assiettes, qu'elle garnit de deux tranches largement mesurées de charlotte au chocolat.

Quand elle fut dans le vestibule, tendant aux gendarmes leurs parts de gâteau et tâchant de les entraîner tout doucement du côté de la porte d'entrée, où se trouvaient de confortables fauteuils, Cécile quitta discrètement la salle à manger, et gagna l'escalier sans se faire voir de personne.

Parvenue à l'étage, elle s'engagea dans le couloir sans allumer le plafonnier, de crainte d'alerter les policiers qui devaient se trouver encore dans la chambre de M. Linz.

Elle posa la main sur la poignée d'une porte, et poussa tout doucement. Cécile savait bien que Lola Poor ne fermait jamais à clé : jadis, la petite fille faisait irruption dans la chambre de la comédienne, qui l'accueillait en souriant et lui racontait une fois encore les histoires épinglées aux murs de la pièce, sur de belles affiches multicolores.

Cécile referma sans bruit la porte, et se tint quelques secondes immobile : elle ne savait pas par où commencer. Elle ignorait même ce qu'elle cherchait. Mais elle était guidée par une intuition, qui remontait précisément à son enfance et aux aventures que Lola Poor lui racontait alors : le mystère de la grande comédienne, et la fascination qu'elle avait exercée jadis sur la petite fille ne pouvaient être sans rapport avec cet autre mystère, la mort de M. Linz !

CHAPITRE XI

Juliette avait remporté les tasses à café dans la cuisine, et finissait de laver la vaisselle. Adèle récupérait sur les soucoupes les morceaux de sucre inutilisés, et les remettait dans leur boîte de fer. Elle n'aimait pas gaspiller, Adèle, et elle ne jetait les croûtons de pain qu'à contrecœur : elle les aurait plutôt mangés si elle avait pu. Elle n'était pas assez riche pour laisser quelque chose dans son assiette !

La pensée que Suzy avait emprunté pour elle de l'argent à M. Linz l'avait rendue malade pendant un an : quel gâchis ç'allait être, que de rembourser ces 500 000 francs ! Adèle n'aimait pas rendre. Elle était avare, elle faisait plutôt de la rétention. Elle n'avait pas eu d'enfant pour cette raison. L'idée, seulement, d'en avoir un ne l'avait même pas effleurée : certes, la grossesse l'aurait sans doute comblée de bonheur, elle qui n'arrivait pas à faire la moindre graisse. Mais elle n'aurait jamais pu accoucher ensuite. Elle n'aurait jamais pu se dépouiller, alors, de ce qu'elle portait en elle, et qui lui appartenait une fois pour toutes.

Suzy entra dans la cuisine alors qu'Adèle rangeait

la boîte de fer dans le placard, à côté du riz et de l'huile.

— Qu'est-ce qu'il t'a demandé ? questionna celle-ci à voix basse.

— Ils ont trouvé, pour les 500 000 francs !

— Tant pis ! L'important c'est la reconnaissance de dette.

Adèle entraîna Suzy vers le garde-manger, faisant mine d'y chercher quelque chose. Elle avait peur que la domestique ne s'intéressât à leur conversation. Mais Juliette lavait la vaisselle avec application, comme en se nettoyant elle-même de toute l'horreur qu'on avait remuée depuis ce matin et qu'elle aurait voulu oublier à jamais.

— M. Linz est mort, poursuivait Adèle. Et l'on ne doit rien à un mort !

— Peut-être, mais ça les étonne qu'il m'ait prêté une aussi grosse somme sans rien me faire signer.

— Tu n'as rien dit, j'espère !

— Non ! C'est trop tard, maintenant ! fit Suzy comme à regret.

Ses yeux se mouillèrent soudain de larmes.

— L'inspecteur m'a de nouveau parlé de ma pipe, dit-elle d'une voix tremblant de honte. Ils savent que c'est Daniel qui l'a mise dans la baignoire. Et ils savent pourquoi !

— Quelle idée avais-tu de t'amouracher de ce petit...

Adèle ne trouva pas le qualificatif qui convenait. Il n'y en avait pas d'assez méprisant.

— A mon âge, s'excusa Suzy, ce n'était pas une si mauvaise idée.

— A ton âge, on n'a plus de ces idées-là !

Lester entra dans la chambre de M. Linz au

moment où l'inspecteur Ravier finissait de recueillir les renseignements que les bureaux de la P.J. lui communiquaient par téléphone. L'inspecteur Lucas tenait l'écouteur et prenait des notes.

— On a examiné tous les noms de la liste trouvée dans la valise, patron...

Lester s'assit lourdement dans un fauteuil, enleva ses chaussures, et se massa le pied droit. Ses deux collaborateurs attendirent qu'il eût fini avant de poursuivre :

— Allez-y ! fit Lester, d'une voix sourde.

— Dionnet Elisabeth, commença Lucas, décédée le 24 novembre dernier... Un cancer qui traînait depuis dix ans.

— Excellent alibi !

— De Chevreuse Angélique, depuis huit jours à Saint-Moritz. Clouzot lui a parlé tout à l'heure au téléphone...

— Et alors ?

— Linz lui a fait son traitement l'année dernière, et elle s'en trouve très bien.

— Elle a dit ça comme ça ?

— En toute simplicité.

Lester enleva sa chaussette et se massa les orteils, grommelant :

— Elles se font faire leurs liftings comme on va chez le coiffeur !

— Kouroudjidès Maria... reprit l'inspecteur Lucas.

— Un rapport avec l'armateur ?

— C'est sa femme. Ils sont quelque part en Méditerranée, sur leur yacht.

— Un peu loin, pour lancer un sèche-cheveux, estima Lester.

— Je vous lis toute la liste, demanda Lucas, ou je résume ?

Lester eut un geste montrant qu'il préférait un résumé, puis il remit sa chaussette.

— Sur les vingt-cinq noms de la liste, il y a trois morts. Le reste possède un alibi en béton, et puis c'est du beau monde, je vois deux femmes de ministres, un académicien...

— Il vaut peut-être mieux ne pas trop leur tirer les poils ! fit Lester.

— Il y a encore deux Américaines dont on n'a pas retrouvé la trace...

— On va laisser ces braves gens à leurs yachts et à leurs chalets en Suisse... Linz a été tué dans une baignoire, et cela nous assure au moins une chose : la présence du meurtrier dans la salle de bains, au milieu de la nuit, n'était pas de nature à surprendre ou à inquiéter sa victime.

— Vous voulez dire que l'assassin habite la pension ?

— C'est plus que probable : Mme Point a vu Linz rentrer, cette nuit, et elle m'a certifié qu'il était seul.

— Elle n'avait aucun intérêt à mentir sur ce point, fit Lucas.

— Seulement voilà ! constata Lester : la seule personne, ici, qui avoue des relations, disons de salle de bains, avec Linz, c'est Juliette.

— Elle ne vous plaît pas, patron ? fit Ravier.

— Je ne la vois pas en tueuse. J'aimerais mieux Mme Point, à tout prendre.

— Reste Lola Poor, suggéra Lucas.

— Elle vit sur une autre planète, celle-là, ou alors elle cache bien son jeu.

— Si notre Linz était homosexuel, risqua Lucas, j'aurais bien une hypothèse...

— J'y pense depuis un moment, sourit Lester. Ce David Weins est un malin ! Beaucoup trop malin pour éventrer un matelas et s'enfuir sans demander son reste. Beaucoup trop malin pour ne pas imaginer que la police ignorera longtemps la raison de sa présence aux « Glycines ». Une raison qu'il avoue d'ailleurs avec infiniment de bonne grâce ! « Mais oui, monsieur le policier : je suis venu ici pour tuer le Dr Linz. Seulement j'ai raté mon coup ! »

— Ainsi, raisonna Lucas, David Weins aurait bel et bien assassiné Linz dans la salle de bains. Puis il aurait simulé une agression manquée dans la chambre.

Le jeune policier réfléchit un instant : cette hypothèse lui plaisait, mais sans le convaincre tout à fait. En admettant que Linz fût homosexuel, il l'imaginait mal en train de séduire un David Weins, et celui-ci ne lui semblait guère enclin à jouer le rôle du « mignon » dans une baignoire.

L'inspecteur Lester s'était fait la même objection :

— David n'a certainement pas tué le Dr Linz, raisonna-t-il. Du moins, pas de ses propres mains. Réfléchissez un peu, Lucas ! Cet intelligent jeune homme s'installe aux « Glycines » voici trois semaines avec son petit ami Daniel. A mon avis, ce dernier n'est pas venu seulement pour le plaisir. Il a pour mission de séduire notre bon docteur. Après quelques jours, Daniel et Linz en sont à se frotter mutuellement le dos dans la baignoire. Il ne reste plus qu'à choisir le moment favorable. La nuit de la Saint-Sylvestre convient très bien. Tout le monde a un peu trop bu et dormira profondément. Linz s'en va pour Roissy, et annonce qu'il ne rentrera pas avant le lendemain matin. Mais Daniel l'attend près de la porte, et lui fait promettre de revenir pour passer avec lui la fin de la nuit : on peut d'ailleurs imaginer que le fameux client étranger qui vient de téléphoner n'était autre que David, appelant d'une cabine voisine et déguisant sa voix. Rappelez-vous ! David et Daniel sont montés se coucher très tôt, prétextant une indisposition. Ils sont censés ignorer le départ de Linz, chacun pourra en témoigner, et cela n'est pas sans importance, car la thèse de l'assassinat manqué dans la chambre devient alors plausible. Linz, bien entendu, ne trouve pas son client au rendez-vous, et revient furieux. Daniel lui propose de prendre un bain, et lui offre sans doute quelques menus plaisirs aquatiques, pour le détendre... Et il le détend... définitivement !

— C'est bien joli, tout ça, fit Ravier. Mais il faudrait savoir si Linz était homosexuel. Et même si nous le savions, il faudrait encore le prouver. Ensuite il faudrait prouver qu'il a eu des relations avec le jeune Daniel...

— Et il faudrait prouver enfin que ce dernier a jeté le sèche-cheveux dans la baignoire, poursuivit Lester.

— Autant dire que M. David Weins s'en tirera avec un non-lieu, fit Lucas.

— J'ai bien peur d'être tombé aujourd'hui sur le premier « crime parfait » de ma carrière, dit sombrement Lester.

— Il doit bien y avoir un moyen de les coincer, fit Lucas.

Lester réfléchit pendant un moment, hochant la

tête à plusieurs reprises et remuant silencieusement les lèvres, comme s'il s'était engagé dans une âpre discussion avec lui-même.

— Nous ne trouverons pas de preuve contre eux, dit-il enfin. Nous n'avons qu'une présomption. Et je ne suis même pas sûr de ce qu'elle vaut : David Weins n'était pas seul dans la chambre de Linz, il me l'a lui-même confirmé. Quelqu'un était déjà sur place quand il s'est introduit par la fenêtre, car celle-ci avait été fracturée. Quelqu'un d'autre, encore, a tourné la clé dans la porte juste après qu'il eut lacéré le matelas. Or ce personnage mystérieux ne pouvait être aux yeux de David, que Linz lui-même, qui était le seul à posséder la clé de la chambre. Mais que fait notre charmant jeune homme ? Il détale comme un lapin au lieu d'attendre sa victime derrière la porte et de la poignarder à coup sûr. Pourquoi ? Parce qu'il sait que Linz est déjà mort.

Lester relaça ses chaussures, en veillant à ne pas trop serrer les nœuds.

— Je ne sais pas encore pourquoi, dit-il doucement, mais j'ai l'impression que nous faisons fausse route.

— Ce ne serait pas la première fois, s'esclaffa Lucas.

— Notre Linz était le seul à posséder la clé de sa chambre, n'est-ce pas ?

— Jusqu'à preuve du contraire ! Il s'agit d'une clé de sécurité, impossible à reproduire.

— Mais quelqu'un d'autre est entré ici, cette nuit, avec cette clé.

— Quelqu'un d'autre en effet ! fit Lucas. Car Linz, entrant dans sa chambre, aurait allumé le plafonnier. Il aurait vu le désordre de la pièce. Il aurait appelé. Quelqu'un l'aurait entendu. Et rien de tout cela n'est arrivé.

— A ce moment précis, le courant était déjà coupé, estima Lester.

— Linz était donc mort.

— De toute façon, nos visiteurs, nos cambrioleurs plutôt, se seraient bien gardés de faire la moindre lumière dans la chambre de M. Linz.

Lester réfléchit une seconde, puis reprit :

— En tout cas, celui (ou celle) qui est entré par la porte est très probablement l'assassin, et savait que le courant était coupé.

— Très juste, patron ! Et cet homme, ou cette femme, n'a pu prendre la clé que dans les vêtements de M. Linz. Plus précisément, dans la poche de son imperméable, où nous l'avons trouvée nous-mêmes ce matin.

— Et cet imperméable était accroché dans la salle de bains, avec les autres vêtements de la victime. Daniel, après le meurtre, pouvait donc y prendre la clé, pour gagner ensuite la chambre de Linz, où il voulait sans doute récupérer un objet ou un document susceptibles de le compromettre. Mais pourquoi se serait-il rendu dans cette chambre, alors que son complice s'y trouvait déjà ? Et pourquoi ce dernier se serait-il enfui en entendant son ami tourner la clé dans la serrure ? J'en conclus que David savait que la personne qui allait entrer n'était ni M. Linz, qui était déjà mort, ni Daniel, auquel il aurait plutôt ouvert la porte.

— Merci, patron ! s'esclaffa Lucas. Vous venez de nous offrir un second assassin.

— Donc, reprit Lester, nous mettons David Weins provisoirement hors de cause : il n'a fait que lacérer de coups de couteau le matelas du Dr Linz. L'assassin est celui qui a ouvert la porte, avec la clé qu'il venait de prendre dans l'imperméable de sa victime.

— C'est la seule interprétation possible, conclut Lucas.

— Vous oubliez une seule chose, dit Lester, mais essentielle : ce mystérieux détenteur de la clé de Linz ne nous est connu que par le témoignage de David Weins. Et vous admettrez avec moi que cette histoire arrange bien les affaires de nos petits Américains.

— On pourrait obtenir un autre témoignage, fit observer Lucas.

— Celui du troisième larron, dissimulé dans la penderie pendant que David réglait son compte au matelas ?

— Ce personnage-ci me paraît bien plus consistant : il a laissé des traces. Il a forcé de l'intérieur la porte de la penderie.

— Très juste, acquiesça Lester. Et surtout, il lui reste peu de chance d'être l'assassin : quand on fracture un battant de fenêtre, c'est qu'on n'a pas la clé de la porte. C'est qu'on n'a pas su où la prendre.

— J'ai une candidate pour ce rôle, dit Lucas.

— Mme Suzy Point, je présume.

— Cela expliquerait pourquoi nous n'avons pas retrouvé la moindre reconnaissance de dette, pour le prêt de 500 000 francs.

— Sans doute, admit Lester. Mais j'ai du mal à croire que Mme Point, qui n'est pas née de la dernière pluie, ait cambriolé son pensionnaire sans craindre de représailles de sa part.

Lucas eut un petit sourire :

— A moins qu'elle n'ait prévu qu'il aurait le bon goût de mourir dans la même nuit.

— Et j'imagine qu'elle ne l'aura pas lu dans l'horoscope, conclut Lester.

CHAPITRE XII

Dans la cuisine, Suzy Point se tenait le même raisonnement, et fustigeait Adèle, dont la bêtise l'avait gravement compromise :

— On ne prête pas 500 000 francs sans faire signer quelque chose, répétait-elle. Donc, pour eux, j'ai volé ce papier. Mais je l'ai volé après avoir tué M. Linz. Ainsi, j'étais assurée qu'il ne viendrait pas me le réclamer.

— C'est idiot ! fit Adèle, sans grande conviction.

— Oui, c'est idiot ! Grâce à toi je n'ai pas signé de reconnaissance de dette, mais je signe un crime que je n'ai pas commis.

— On s'y croirait, dit Cécile en souriant.

La jeune fille n'avait pas encore montré à maman Suzy et à tante Adèle ce qu'elle venait de trouver dans la chambre de Lola Poor. Elle ménageait ses effets, trop fière de ses premiers succès de détective amateur.

— Mais ce n'est pas toi qui as tué M. Linz, ajouta-t-elle. Et ce n'est pas Adèle non plus, j'imagine. Alors qui reste-t-il ?

— Justement, dit Suzy, je ne vois pas...

— Moi, si ! dit Cécile.

Et elle posa sur la table, devant sa mère et tante Adèle, un morceau de papier carbonisé. Les deux femmes découvrirent avec perplexité ce débris, cherchant à deviner quelle sorte de révélation la jeune fille y avait pu lire.

— Février 1954... déchiffra lentement Suzy.

— Qu'est-ce que c'est que ça ? demanda tante Adèle d'une voix brusque.

— Une autre reconnaissance de dette peut-être... celle de Mme Lola Poor, fit Cécile : je l'ai trouvée dans sa cheminée. C'est, ou plutôt c'était, un numéro de *Cinémonde*.

— Et alors ? fit Suzy.

— Alors, tu te rappelles combien elle est fière de sa collection de *Cinémonde*. Elle possède tous les numéros, de 1948 à 1954, et dans chacun d'eux, ou presque, on parle d'elle. Or, voilà qu'aujourd'hui, précisément, elle en jette un dans la cheminée. Un seul ! J'aimerais bien savoir ce qu'il y avait dedans et qu'elle tient à cacher.

— Sans doute des photos qui ne l'avantageaient pas. Je la connais, notre Lola Poor, fit tante Adèle, sur un ton de condescendance.

— Tu devrais poser la question à l'inspecteur Lester, ironisa Suzy. Il sait tout sur le cinéma.

L'inspecteur Lester, précisément, s'apprêtait à quitter ses collaborateurs pour aller interroger Lola Poor : la chambre de la comédienne était mitoyenne de la salle de bains : peut-être avait-elle entendu quelque chose, la nuit dernière.

— Elle nous l'aurait dit, objecta Lucas.

— Peut-être pas, fit Lester : j'ai le sentiment que cette histoire ne l'intéresse pas beaucoup. Une demi-douzaine de policiers dans une maison, c'est un sacré coup de pied dans la fourmilière, et cela se met à grouiller dans tous les sens : Mme Point enfile sa plus belle robe, au décolleté le plus profond, et minaude comme si elle avait seize ans. Sa bonne amie Adèle nous suit à la trace et colle son oreille contre les portes. Le beau David Weins se ronge les ongles, son cher petit Daniel jette la pipe de Mme Point dans la baignoire, et je suppose que Juliette a lavé trois fois de suite la vaisselle du déjeuner. Voilà des comportements bien normaux en la circonstance ! Normaux, parce que irrationnels ! Ces braves gens ne peuvent faire autrement que se démener. Le moteur est emballé, et nous ne l'arrêterons qu'en produisant un coupable, vrai ou faux, peu importe ! Nous aurons alors coupé les fils de la suspicion et de la crainte qui agitent pour le moment ces pauvres marionnettes. Seule, dans ce désordre fébrile, Mme Lola Poor demeure calme et lointaine, infiniment lointaine. Trente ans de solitude et d'orgueil n'expliquent pas entièrement cette sérénité altière. Tout se passe comme si Mme Lola Poor, innocente ou coupable, connaissait la solution de notre problème, et qu'elle le jugeait au fond de très peu d'importance.

— Si elle est innocente, estima Lucas, elle n'a aucune raison de nous dissimuler ce qu'elle sait.

— Vous oubliez, mon cher Lucas, que notre grande comédienne ne donne plus d'interview depuis trente ans. Elle se moque bien de ce qui nous fait courir, l'argent, la gloire, ou la vérité. Et je ne lui donne pas tout à fait tort : M. Linz a été assassiné, mais il faut bien mourir un jour, et c'était une crapule. Nous cherchons le coupable, qui est sans doute une autre crapule. Et nous-mêmes, qui traquons le crime et qui faisons peur aux gens pour pouvoir payer notre loyer, nous faisons partie de la même humanité où les grands assassins ne sont peut-être que les plus doués d'entre les petits malfaiteurs, où les chasseurs des uns ne sont peut-être que le gibier de quelques autres.

— Quel pessimisme ! dit Lucas.

Les autres policiers considéraient leur chef avec atterrement. Celui-ci poursuivit :

— J'ai une sorte de sympathie pour Lola Poor, je le reconnais. Peut-être est-ce que j'aime trop le cinéma. Mais c'est une sympathie sans illusion. Je ne la crois pas plus innocente qu'une autre. Elle a seulement vécu davantage que la plupart d'entre nous. Elle a connu en quelques années ce dont les autres ne savent pas même rêver dans l'espace d'une vie. Mais à trente ans Lola Poor était morte d'avoir trop vécu, et j'imagine qu'elle s'est retirée de l'existence en se disant : « Ce n'était donc que cela ? » Alors, notre petit meurtre d'aujourd'hui, cette aventure épouvantable et tellement excitante pour tous les autres, ne doit pas plus l'intéresser que les millions qu'elle a trop vite gagnés, que les corbeilles de fleurs qu'elle recevait chaque matin, ou que les ministres qui venaient mourir d'amour sur son paillasson.

Lester se leva et gagna la porte. Les autres inspecteurs demeuraient silencieux, plus habitués aux coups de gueule de leur patron qu'à ses coups de déprime. Chacun cherchait à se rassurer en songeant qu'un crime impuni, comme une dette impayée, est un désordre insupportable, un obstacle majeur à la bonne marche du monde. Chacun voulait croire que la solution d'une énigme policière contribue en quelque sorte au progrès de l'humanité, et qu'une enquête ne se ramène pas à remplir exactement une grille de mots croisés.

Lester trouva Lola Poor dans le salon. Elle venait de se changer, et portait la robe mauve et or de *la reine de Shangri La*, son premier rôle au cinéma. Elle invita l'inspecteur à s'asseoir près d'elle. Lester prit place sur le canapé en songeant qu'un prince arabe, jadis, avait payé d'une rivière de diamants le privilège d'effleurer la main de Lola Poor, et qu'un généralissime sud-américain avait gracié douze guérilleros qu'il venait de condamner à mort, pour boire le champagne dans l'une de ses bottines. Le monde, sous les yeux de cette femme, n'avait été qu'un théâtre d'ombres.

Tout en mesurant combien la question devait lui paraître dérisoire, Lester demanda à la comédienne quelles avaient été ses relations avec son voisin de chambre, M. Linz. Lola eut un sourire, peut-être d'indulgence :

— En vingt ans, je crois que nous nous sommes adressé trois fois la parole.

— Et bien sûr, vous ignoriez sa véritable activité ?

— Cette histoire de rajeunissement ? Je ne connais qu'un moyen de ne pas vieillir, c'est de briser les miroirs.

— Je vais être brutal, dit Lester après un instant d'hésitation.

— C'est votre métier, fit Lola dans un léger rire.

— Est-ce pour briser les miroirs que vous avez abandonné le cinéma ?

— Non, monsieur ! Je n'avais que trente ans, et je n'avais pas peur de mon image, je vous assure !

La comédienne observa une seconde de silence. Son regard parcourut le salon, comme si elle avait fait effort pour reconnaître ce lieu pourtant si familier. Puis elle se reprit, et fixa l'inspecteur avec une sorte de dureté :

— Mon mari est mort pendant le tournage de *La Prêtresse du Dieu-Soleil*.

— C'était Jean Maréchal, n'est-ce pas ?

— Vous vous souvenez de cela ?

— J'ai vu la plupart de vos films, je crois.

Lola Poor dévisagea l'inspecteur d'un regard dubitatif :

— Tout cela est si loin... dit-elle doucement, avant de poursuivre : nous avions fait toute notre carrière ensemble. J'ai été célèbre avec lui, heureuse avec lui. Quand il est mort, je n'ai pas pu continuer seule.

— Vous n'avez jamais regretté cette décision ?

— Non !

— Donc, vous connaissiez à peine M. Linz.

— Je viens de vous le dire.

— Excusez-moi ! J'ai tellement l'habitude d'ennuyer les gens avec mes questions ! C'est comme une seconde nature. Tenez ! Je ne peux pas m'empêcher de vous demander ce que vous avez fait brûler cette nuit dans votre cheminée.

Lester était un chasseur, pas un homme du monde. Et s'il ne savait plus pourquoi il s'acharnait à traquer le crime jusqu'en ses tanières les plus secrètes, du moins gardait-il les réflexes, et comme l'instinct du bon limier.

— J'ai brûlé de vieux journaux.

— Oui ! fit Lester. C'étaient des journaux !

— Espériez-vous autre chose ? s'esclaffa la comédienne.

Le policier sortit une enveloppe de sa poche, et en retira deux morceaux de papier aux bords calcinés, qu'il entreprit de déchiffrer :

— « Le tournage a été particulièrement... qu'elle était une grande comédienne... toutes les difficultés auxquelles s'ajoutaient... aura finalement été endeuillé... »

— Cela concerne la mort de mon mari, fit Lola. Je ne veux plus jamais y penser. Ne me demandez pas pourquoi j'ai brûlé ces papiers !

La voix de la comédienne s'était faite plus grave encore que d'habitude. Elle alluma une cigarette, et tira une longue bouffée, qu'elle expira ensuite avec une espèce de répugnance. Lester se leva, comprenant que l'interview était terminée : « Ne me demandez pas pourquoi ! » venait de dire Lola Poor. La comédienne avait brûlé des articles de presse qui lui rappelaient un moment douloureux de sa vie : il n'y avait peut-être rien à demander, en effet. Mais le policier ne put tout d'abord s'empêcher de penser que la mort de Linz n'était pas sans rapport avec cette décision.

Puis il se rappela que *La Prêtresse du Dieu-Soleil* passerait ce soir même à la télévision. Le film de Lola Poor avait été annoncé dans les journaux. Pendant plusieurs jours, songea Lester, Mme Point et les autres pensionnaires avaient dû lui en rebattre les oreilles, et raviver en elle de très pénibles souvenirs. Alors elle avait brûlé un vieux numéro de *Cinémonde* : ce n'était certes pas un crime ! Et sans doute ne voudrait-elle à aucun prix voir le film, ce soir !

Lester eut envie de s'en assurer :

— Mme Point m'a invité à rester pour regarder votre film tout à l'heure, fit-il en prenant congé.

Il eut l'impression que Lola Poor sursautait. Elle darda soudain sur lui un regard où se lisait la haine de tout ce qui vit.

— Ce n'est pas un chef-d'œuvre, je vous assure, dit-elle sèchement.

Lester le chasseur sut qu'il venait de faire mouche. Il laissa là la comédienne, dorénavant suspecte, et gagna l'escalier. Il avait envie, maintenant, de bavarder avec M. Weins.

Il n'était pas mécontent de lui-même. Sa méthode avait du bon : lancer ses questions au hasard, et faire confiance aux criminels. Ceux-ci ne manquent presque jamais d'indiquer à l'enquêteur, par leurs réponses, par leurs silences, par leurs mensonges, par leur trouble, laquelle de ses questions était la bonne.

Tandis que Lester montait l'escalier, Lola Poor se leva, et s'approcha du téléviseur.

CHAPITRE XIII

Lester trouva David Weins et son ami nichés côte à côte, immobiles et silencieux, sur le bord du lit. Ils semblaient attendre le chasseur.

Celui-ci prit une chaise, et s'assit à califourchon, face aux deux jeunes gens, les avant-bras appuyés sur le dossier. Le jour tombait. Le policier ne voyait pas nettement le visage de ses interlocuteurs. Il n'en pouvait déchiffrer la physionomie. Mais il aimait cette demi-obscurité. Les gens qu'il suspectait y devenaient des êtres abstraits, des créatures sans épaisseur et sans âme, réduites à leurs mobiles, à leurs passions, et condamnées pour ainsi dire de toute éternité au déroulement inexorable de leur forfait. Et lui, Lester, était là pour reconstituer ce déroulement, pour le restaurer en quelque sorte dans sa pureté, pour en éliminer tous les événements inessentiels, toutes les scories du mensonge, de la crainte ou du remords, et pour l'expliquer dans sa vérité aux criminels eux-mêmes, qui ne sont le plus souvent que le jouet d'une passion qui les habite et les dépasse, et que seul un policier est capable de pénétrer. Il y avait bien longtemps que Lester ne travaillait plus pour la justice. La vérité ne l'intéres-

sait pas davantage pour elle-même. Seule le passion-
nait encore, ou du moins l'amusait, sa propre
démarche, sans autre but que de se développer elle-
même comme un beau raisonnement, comme une
belle invention mathématique, ou comme un
« échec et mat » qui se serait préparé depuis le
premier coup de la partie.

Lester s'adressa d'abord à Daniel.

— Je n'ai pas encore entendu le son de votre voix,
lui fit-il remarquer.

Cette observation tomba dans un silence profond
comme la nuit qui venait.

— Vous êtes-vous bien reposé, la nuit dernière ?
reprit le policier. Je parierais que vous avez dormi
neuf heures d'affilée.

David Weins répondit à la place de son ami,
comme Lester l'avait prévu.

— Il n'était pas bien, hier soir. Je lui ai donné un
somnifère. Je préférais qu'il dorme... pour ce que
j'avais à faire.

— Mais si votre ami n'avait pas dormi, Monsieur
Weins, il aurait pu vous aider.

— Je n'avais besoin de personne, affirma l'Américain.

— Pour manquer votre coup, sans doute ! Mais
pour le réussir...

Lola Poor alluma le lampadaire, et se glissa
derrière le téléviseur. Elle choisit une longue aiguille
à tricoter dans le panier à ouvrage que Mme Point
laissait d'ordinaire sur le plateau inférieur de la table
de télévision. Elle tortilla un mouchoir autour de
l'aiguille, afin de l'isoler de sa main...

Cécile avait pris sa décision : elle frappa à la porte de la chambre de M. Linz. L'inspecteur Ravier vint lui ouvrir.

— Il faut que je parle à l'inspecteur Lester, fit la jeune fille.

— Il n'est pas ici. Pouvons-nous lui dire quelque chose ?

— Je crois savoir qui a tué M. Linz.

— Il sera enchanté, s'esclaffa le policier.

Lola Poor avait maintenant introduit l'aiguille de métal dans le dos du téléviseur, et fouillait l'intérieur de l'appareil. Après quelques secondes, un éclair jaillit. Toutes les lumières s'éteignirent dans la maison. Lola Poor reposa l'aiguille dans le panier à ouvrage, alluma une cigarette, et quitta le salon.

— Encore ! s'exclama Suzy, dans la cuisine. Et elle cria : Juliette ! Les plombs !

Juliette accourut de la salle à manger, où elle rangeait la vaisselle, et se heurta dans le vestibule à Lola Poor, qui gagnait l'escalier à tâtons. La jeune fille reconnut la comédienne à l'odeur de tabac blond qu'elle exhalait. Cécile et l'inspecteur Ravier, suivis des autres policiers, se heurtèrent aux deux femmes au pied de l'escalier. Lester, qui déboulait à son tour en appelant Lucas, donna brutalement dans l'attroupement confus.

— Je vous cherchais ! dit Cécile. Il faut que je vous parle !

— Allez me remettre le courant, Ravier ! fit Lester sans répondre à la jeune fille.

Lola Poor s'était engagée dans l'escalier. Elle

gagna sa chambre sans demander son reste. Sa cigarette rougeoyait sur le parquet du vestibule.

— Qu'est-ce que c'est que ça ? demanda Lucas.

— C'est Lola Poor, affirma Cécile. Elle vient de monter.

Dans la cuisine, Suzy avait trouvé à tâtons le disjoncteur, et la lumière revint.

— Ça sent le brûlé, remarqua l'inspecteur Belmont.

— Ça vient du salon, dit Juliette.

Suzy arriva sur les entrefaites, et montra le fusible noirci qu'elle venait de retirer du tableau électrique.

— Vous avez des problèmes de courant, dans cette maison ! dit Lester d'un ton railleur.

Tout le monde entra dans le salon, où les braises de la cheminée faisaient le seul éclairement. Une odeur âcre se dégageait du téléviseur.

— C'est Lola Poor, répéta Cécile.

— Elle ne tient sans doute pas à ce qu'on voie son film, observa Lester. Et elle ne veut pas davantage qu'on lise les articles qui lui sont consacrés : c'est beaucoup de discrétion !

Cécile lui tendit alors le fragment de *Cinémonde* qu'elle avait trouvé dans la chambre de la comédienne. Le policier retourna dans le vestibule, pour le regarder à la lumière.

— Où sont passés les gendarmes ? demanda Lucas.

— Ils sont partis acheter du tabac au village, dit Belmont. Ils ont emmené l'infirme. Je leur ai donné l'autorisation.

— Ils doivent être soûls comme des cochons, à l'heure qu'il est, maugréa Lucas.

— Ce n'est pas plus mal, fit Lester. S'ils étaient

restés ici, nous n'aurions pas eu cette intéressante panne d'électricité.

Arrivé dans le vestibule, le policier s'arrêta pour examiner la « pièce à conviction » de Cécile.

Craignant de ne pas être prise au sérieux, la jeune fille commenta :

— C'est un numéro de *Cinémonde*. Il est de février 1954. Lola Poor possède toute la collection. Elle n'a brûlé que celui-ci.

Lester pria la jeune fille et l'inspecteur Lucas de le suivre dans la salle à manger. Il ferma lui-même la porte vitrée derrière eux. Suzy demeura un instant le visage contre le carreau, essayant de lire sur les lèvres du policier ce qui se tramait. L'inspecteur Ravier la prit par le bras et l'entraîna vers la cuisine.

— Vous allez vous rendre chez moi, fit Lester à l'inspecteur Lucas. Mademoiselle peut vous accompagner si elle le désire. Vous chercherez dans mes rayonnages le numéro de *Cinémonde* qui manque désormais à la collection de Mme Lola Poor. Avec un peu de chance, je dois l'avoir encore. Et vous jugerez vous-même s'il s'y trouve quelque chose d'intéressant.

Cécile ne se tenait plus de joie ! L'inspecteur Lester l'autorisait officiellement à participer à l'enquête. La mort de M. Linz était un bien triste événement, elle ne l'oubliait pas ! Mais tout de même ! Quelle excitante journée elle était en train de vivre ! N'allait-elle pas démasquer dans un moment la perverse et machiavélique Lola Poor ?

Elle n'avait pas la moindre idée des mobiles qui avaient poussé la comédienne à supprimer M. Linz, mais cela finirait par se savoir ! La jeune fille se rappela comment Lola Poor la prenait jadis sur ses genoux pour l'embrasser et lui conter des histoires. Elle lui offrait des bonbons, l'implacable meurtrière du Dr Linz ! Elle lui faisait toutes sortes de cadeaux et de gâteries. Elle était tendre et patiente. Bien plus tendre que maman Suzy. Bien plus patiente que tante Adèle.

La jeune fille jeta un coup d'œil amusé sur la jolie chaînette d'or et d'émeraudes qu'elle avait au poignet : la comédienne lui avait offert jadis ce bijou. (Tante Adèle en avait crevé de rage ! Ce bracelet valait une petite fortune ! On ne fait pas un cadeau de ce prix à une enfant ! Mais quelle importance ? Lola Poor n'aimait plus les bijoux. Elle n'aimait plus rien. Il valait bien mieux qu'elle se défît de ce bracelet !)

Cécile s'apprêtait à monter dans la voiture des policiers, à côté de l'inspecteur Lucas, quand Lester sortit sur le perron et leur cria :

— Pendant que vous y serez, Lucas ! Prenez donc mes chaussures jaunes, à semelles de crêpe, et apportez-les-moi !

CHAPITRE XIV

« Cette merveilleuse statuette de terre cuite, rehaussée d'incrustations de jade et d'obsidienne, est assurément l'un des joyaux de la civilisation maya classique. Découverte en 1952 dans la crypte du temple des Inscriptions à Palenque, elle représente le *Seigneur de la nuit,* qui veilla pendant plus de mille ans sur le dernier sommeil des Prêtres-Rois. Tout comme les Cités-États de la civilisation maya, Palenque fut abandonnée vers le IXe siècle. Les guerres, les épidémies, les exigences sanguinaires des dieux, sont sans doute à l'origine de cet anéantissement, et la forêt vierge étouffe aujourd'hui de sa végétation exubérante les derniers vestiges d'une des cultures les plus riches et les plus mystérieuses de l'Amérique précolombienne... »

— Je ne vois pas ce que tout ceci peut nous apprendre sur la mort de Linz, fit l'inspecteur Lucas.

— Cette statuette se trouvait dans sa vitrine, affirma Cécile. Je l'ai vue il y a quelques années, j'en suis sûre. Elle y est peut-être encore.

— Cela ne prouve rien, sinon que vous avez bonne mémoire. Linz négociait des objets d'art précolombiens. Il n'y a rien d'extraordinaire à ce qu'il ait possédé cette statuette. Des dizaines d'autres ont sans doute passé par ses mains.

— Et vous ne trouvez pas étrange que cet objet sans doute unique figure précisément dans le dernier film tourné par Lola Poor !

— C'est une coïncidence troublante, en effet.

— D'autant plus, reprit Cécile, que Lola Poor a tout fait pour nous le dissimuler. Mais vous ignorez encore l'essentiel !

— Et quoi donc ? fit Lucas, toujours sceptique.

— Il y a quelques années, justement, nous avions un pensionnaire amateur d'archéologie précolombienne. Il avait participé à des fouilles, au Mexique, et je crois qu'il s'y connaissait : apprenant que M. Linz possédait des objets qui pouvaient l'intéresser, il a demandé à voir sa collection.

— Et M. Linz a refusé !

— Exactement ! Mais l'autre a tellement insisté qu'il a fini par s'incliner. Et nous sommes tous montés voir la mystérieuse vitrine : en dehors de notre pensionnaire archéologue et de M. Linz, il y avait maman, Adèle, et moi.

— Et votre archéologue a remarqué cette statuette, bien sûr !

— Il l'a remarquée. Je m'en souviens comme si c'était hier : il a demandé à M. Linz la permission de la sortir de la vitrine, et il l'a posée sur la table : « Vous possédez là une vraie merveille, dit-il. J'imagine que vous en connaissez le secret. » Il a tourné tout doucement la tête de la statuette, qui s'est alors séparée du reste du corps, laissant apparaître un petit flacon d'améthyste. Tout le monde était fasciné, et M. Linz avait pâli. Il ne disait rien, mais je crois qu'il aurait tué cet homme, s'il l'avait pu.

Celui-ci nous expliqua que cette fiole contenait un poison extrêmement violent, qui avait la particularité de n'agir qu'au bout de quelques heures, et de ne laisser aucune trace si on n'en utilisait qu'une seule goutte. « Du poison ? » fit M. Linz. « Ne le saviez-vous pas ? » s'étonna l'autre. « Je croyais qu'il s'agissait d'une légende », rétorqua M. Linz. « Ce n'est pas une légende, affirma le pensionnaire : " Si le règne du Prêtre-Roi vient à dépasser trois fois cent lunes, celui-ci déposera le fardeau du temps, et boira la coupe que lui offre le *Seigneur de la Nuit*. " Cette loi est clairement déchiffrable sur le bas-relief ornant la crypte du temple des Inscriptions, à Palenque, où la statuette fut découverte. Elle signifie que le Prêtre-Roi devait se donner lui-même la mort en absorbant le poison contenu dans cette statuette, si son règne venait à dépasser vingt-trois ans. »

— « Celui-ci déposera le fardeau du temps, et boira la coupe que lui offre le *Seigneur de la Nuit* », répéta Lucas.

— Je n'ai entendu qu'une fois cette formule, dit Cécile. Mais je m'en souviendrai jusqu'à mon dernier jour : il y a là-dedans quelque chose d'effrayant et de fascinant à la fois. Quelque chose qu'on ne peut plus oublier ensuite, comme si l'on avait aperçu soudain les Destinées elles-mêmes, tenant les fils de nos existences.

— Que s'est-il passé ensuite ? demanda le policier.

— L'archéologue prit le flacon et l'agita sous la lumière de la fenêtre : nous vîmes alors, dans la transparence de l'améthyste, que la fiole contenait un liquide noir, ou brun foncé. « Il y a là-dedans de quoi tuer une ville entière », commenta l'archéologue.

— Je crois que ce M. Linz avait de bonnes raisons de faire blinder sa porte, fit Lucas.

— En tout cas, cette statuette figure dans le dernier film de Lola Poor, et celle-ci ne voulait pas que nous l'apprenions.

— M. Linz est mort électrocuté, observa Lucas. Pas empoisonné !

— Oui ! Mais il connaissait sans doute Lola Poor depuis plus de trente ans, et ce n'est pas par hasard qu'ils habitaient la même pension.

— Tout cela reste à prouver, fit Lucas.

— D'accord ! dit la jeune fille. Cela reste à prouver ! En attendant, nous pouvons imaginer pas mal de choses, n'est-ce pas ?

— Par exemple, que Linz et Lola Poor se sont rencontrés sur le tournage de la *Prêtresse du Roi-Soleil*, admit Lucas. Ou même, qu'ils se connaissaient d'avant.

— Et Linz prête aimablement sa statuette empoisonnée pour les besoins du film.

— C'est bien possible, admit encore le policier : en 1954, le Dr Linz exerçait en Guyane. C'est sans doute en voyageant en Amérique du Sud qu'il se serait initié à l'art des civilisations indiennes, et peut-être à certaines de leurs techniques.

— Les poisons, par exemple !

— Quelques mois plus tard, il rentre en France, et il ouvre une clinique où il pratique des cures de rajeunissement selon un procédé si nouveau et si efficace que plusieurs de ses clientes n'y survivent pas. Or nous savons que ce traitement comportait des injections de curare, substance couramment

110

utilisée par les Indiens d'Amérique du Sud pour la chasse, ou jadis pour la guerre. Mais cela n'explique pas le rapport qu'il peut y avoir entre Lola Poor, la statuette, et Linz.

— Ce rapport, fit sans hésiter Cécile, c'est justement le poison.

— Mais qui a été empoisonné ?

— Le mari de Lola Poor. Jean Maréchal. C'est écrit en toutes lettres dans l'article de *Cinémonde*.

Le policier s'esclaffa. Cécile était une jeune fille bien séduisante, mais qui allait un peu vite en besogne. Il se sentait entraîné bien plus loin qu'il n'aurait voulu par les hypothèses de sa collaboratrice improvisée : une enquête criminelle n'est pas un divertissement pour les dimanches d'une écolière, songeait-il avec une certaine irritation. Mais l'écolière était jolie, elle portait les mêmes blue-jeans que lui, et ces raisons-ci avaient le poids des meilleurs raisonnements.

— Jean Maréchal est mort d'une embolie, dit Lucas. Rien ne nous permet d'affirmer autre chose.

— Jean Maréchal meurt d'une embolie, reprit Cécile, et le bon docteur Linz ne peut que constater le décès. Mais trente ans plus tard, on assassine ce même Linz, qui possède à son actif un certain nombre de nouveaux cadavres, et cinq ans de prison. Comme par hasard, Lola Poor est depuis des années sa voisine de palier, mais bien sûr, elle affirme qu'elle ne le connaît pas plus que les autres pensionnaires.

— Cela fait beaucoup de coïncidences, reconnut Lucas, et sans doute quelques mensonges.

Aux « Glycines » pendant ce temps, l'inspecteur Lester reprenait l'interrogatoire de Suzy Point :

celle-ci avait fait monter du thé dans sa chambre, affectant de croire que l'enquête était terminée, et que le policier n'en était plus qu'aux questions de pure routine. Elle ne trouvait pas mal que l'affaire du meurtre de M. Linz se terminât par des mondanités. Mais Lester n'était pas encore convaincu de la culpabilité de Lola Poor. Il attendait que Lucas lui apportât des preuves indiscutables pour donner à la comédienne un rôle qui ne lui convenait pas à ses yeux.

— En somme, récapitula-t-il, vous avez eu un réveillon passablement agité : on assassine l'un de vos pensionnaires, ce qui n'est déjà pas mal. Mais il ne faudrait pas oublier le reste...

— Le reste ?

Suzy avait sursauté, comme si le policier s'était plaint d'avoir trouvé un cafard dans son thé : il y avait des cafards depuis longtemps, dans cette maison. On nettoie, on désinfecte, mais ils reviennent. Personne n'y peut rien !

— « Le reste », expliqua Lester, c'est la petite surprise-party, dans la chambre du mort, où les invités entrent par la fenêtre. Pas tous, d'ailleurs. L'un d'eux avait la clé de la porte blindée. Et je pense que c'est l'assassin, car cette clé, il a bien fallu la prendre quelque part, et ce ne pouvait guère être que dans les vêtements de la victime. Mais quand on a tourné cette clé dans la serrure, deux personnes se trouvaient déjà dans la chambre. Nous connaissons l'identité de l'une d'elles.

— David ? David Weins ?

— Oui ! Et pendant que David se battait au couteau avec le lit, quelqu'un se tenait caché dans la penderie... en attendant des jours meilleurs, je présume.

— Et ce quelqu'un, fit Suzy, ce serait moi ?

— Cela me paraît assez logique, et ça vaudrait mieux pour vous.

— Je ne comprends pas.

— Cette histoire pourrait s'appeler « L'assassin et les cambrioleurs ». Tout le monde, aux « Glycines », y a un rôle, et celui qui n'est pas cambrioleur est forcément l'assassin. Principaux personnages de cette comédie : M. Weins et son petit ami, Mme Lola Poor, et Juliette...

— Juliette ? s'exclama Suzy.

— J'ai un rôle pour elle aussi.

— C'est absurde !

Suzy ne pouvait admettre qu'une fille qu'elle payait 4 000 francs par mois, et qui était tout juste bonne à lessiver le carrelage, suscitât l'intérêt du policier qui prenait le thé avec la propriétaire des lieux et dans sa propre chambre. Mais Lester ne semblait pas s'être fait cette objection. Il poursuivit :

— Enfin il y a vous, madame Point, qui aviez emprunté 500 000 francs à la victime. Et ce qui m'ennuie, c'est qu'on n'ait pas retrouvé la moindre reconnaissance de dette. M. Linz avait vraiment confiance en vous !

— Eh bien, oui, j'imagine !

— Vous étiez donc très intimes ? Prêter une si grosse somme, c'est faire preuve d'amitié !

— Je le connaissais depuis longtemps. Et puis il souhaitait que je conserve les « Glycines ». Il habitait chez moi depuis vingt ans, et il ne voulait pas en bouger, je crois. C'est pourquoi je lui ai parlé de mes difficultés d'argent, ou plutôt de celles de mon amie

Adèle, car c'est pour elle que j'ai emprunté cette somme. Je savais qu'il m'écouterait d'une oreille complaisante. Il avait trop peur que je vende les « Glycines ». Au pire, il était prêt à me racheter la maison.

— Cela ne vous a jamais intriguée, qu'il tienne tant à rester chez vous ? fit Lester.

— Si, bien sûr ! Je me suis posé la question.

— Vous vous l'êtes si bien posée, s'esclaffa le policier, que vous avez compris qu'il valait peut-être mieux ne pas en savoir davantage.

— Oui ! Peut-être !

Suzy passa nerveusement le revers de sa main sur ses genoux, où la robe bleue faisait un faux pli. Elle s'en voulait depuis un moment. Elle avait le sentiment confus que le policier ne l'aurait pas suspectée si elle avait porté sa jupe grise, tellement plus discrète, ou sa robe imprimée. Celui-ci reprit :

— J'aimerais mieux penser qu'il existait une reconnaissance de dette, et que vous l'avez fait disparaître. Je vous l'ai dit, Madame ! Qui n'est pas cambrioleur dans cette histoire a toute chance d'être l'assassin. Et la personne qui a tué M. Linz dans sa baignoire était très intime avec lui : assez pour le regarder prendre son bain, ou pour lui emprunter beaucoup d'argent sans la moindre garantie.

Suzy chiffonna dans sa main le bas de sa robe : ce modèle était trop voyant et le tissu ne valait rien.

— Oui, reconnut-elle enfin. J'ai signé un papier.

CHAPITRE XV

Les deux gendarmes avaient ramené Albin Kuque du village, ayant dressé devant une bouteille de blanc le procès-verbal complet de ses déboires conjugaux. L'infirme se trouvait maintenant dans le salon, où Adèle et Lola Poor disputaient une partie de scrabble en attendant que l'inspecteur Lester eût fini d'interroger Suzy.

— Il me manque le *u*, fit Adèle après une minute de réflexion.

Albin Kuque s'endormait tout doucement, sa cigarette encore collée à la lèvre inférieure.

— Pour écrire quoi ? demanda Lola.

— « Meurtre », en sept lettres.

— Vous êtes en grande forme, apprécia la comédienne. Vous avez déjà réussi « suspect », en sept lettres.

La cigarette s'était détachée de la lèvre d'Albin, et venait de se nicher dans un pli de son chandail.

— Je peux écrire « terme », en cinq lettres, dit Adèle. Le mot compte triple.

— Je vous admire ! fit encore Lola. Moi, je n'arrive pas à me concentrer.

Et elle ajouta, comme pour elle-même :

— Comment pouvons-nous chercher des mots, quand nous savons que ces policiers sont en train de chercher l'un d'entre nous, et pour l'envoyer en prison ?

— Chacun s'occupe comme il peut ! ironisa Adèle. Après tout, des mots, des gens, quelle différence ? Il faut que tout soit en ordre, chaque lettre dans sa case, et chaque mot à sa place.

« C'est juste, songea Lola. Nous passons notre vie à mettre les choses, les mots, les gens si nous le pouvons, dans la case que nous croyons être la bonne. Et quand nous ne trouvons pas cette case, nous essayons de supprimer ce qui ne peut se placer nulle part. »

— Je brûle ! hurla soudain l'infirme.

D'un bond, Adèle et la comédienne s'étaient levées. Celle-ci fut la première auprès d'Albin Kuque, qui se convulsait comme un damné dans un tourbillon de fumée noire. A l'aide de son châle, Lola étouffa les flammes qui commençaient à s'élever de la poitrine du malheureux.

— Je l'avais dit, qu'il finirait comme ça ! jubilait Adèle. C'était fatal.

— Mais il n'est pas mort ! rectifia Lola.

— La prochaine fois, fit-elle d'un ton de vraie menace, c'est moi qui mettrais l'allumette.

— Allons ! fit Lola. On ne dit pas cela ! Même en plaisantant.

Mais Adèle rêvait depuis si longtemps de placer enfin le cul-de-jatte dans sa case avec les sept lettres du mot « tombeau » !

— Vous l'entendez ? Vous l'entendez ? glapissait Albin, que l'émotion avait parfaitement dessaoulé.

Suzy poussa un cri en découvrant le nuage de fin du monde qui avait envahi le salon.

— Ce n'est rien ! voulut la rassurer Lola Poor.

— Rien du tout ! Il a failli mettre le feu à la maison, fit Adèle en s'esclaffant.

— Elle a voulu me tuer ! accusait l'infirme. Avec une allumette ! Elle vient de le dire !

— Il ne faut pas mentir, le sermonna Lola. Un jour, vous le regretterez.

Suzy ne se souciait pas de cette histoire d'allumette. Albin pouvait bien finir de se consumer ! Elle prit Adèle par le bras et l'entraîna dans le vestibule. Les deux femmes s'arrêtèrent au pied de l'escalier.

— Donne-moi la reconnaissance de dette ! dit Suzy sans préambule.

— Qu'est-ce que tu veux en faire ?

Adèle s'était raidie, et défiait le monde entier d'un regard farouche. Quand elle tenait quelque chose, il n'y avait pas moyen de le lui faire lâcher !

— L'inspecteur Lester veut la regarder, expliqua Suzy.

Adèle étouffa une exclamation :

— Tu lui as dit ?

— Oui !

— Tu es folle ! Tu nous mets toutes les deux sur la liste des suspects !

— Crois-tu que je n'y étais pas déjà ? objecta Suzy. Il vaut mieux avoir volé ce papier que d'avoir tué M. Linz.

— Parce que l'un empêche l'autre, selon toi ?

— Pas selon moi, rétorqua Suzy. Selon l'inspecteur !

— Il s'est bien fichu de toi ! fit Adèle sur le ton du mépris. Et tu as marché !

Suzy ne savait plus que penser. L'inspecteur avait accepté de prendre le thé avec elle. Il semblait avoir de la considération et de la sympathie pour elle. Il faisait son enquête, tout simplement, il avait besoin d'éclaircir les choses. Pourquoi se serait-il moqué d'elle ?

CHAPITRE XVI

Lester mesurait une fois encore combien il importe de se défier de ses propres sentiments, de la sympathie ou de la prévention qu'on éprouve malgré soi pour un témoin ou un suspect. Le risque n'est pas tant d'incriminer un innocent qui suscite de l'antipathie, que de négliger un possible coupable parce qu'on ne se sent aucune affinité avec ses mobiles et avec sa manière particulière de raisonner.

Ainsi le policier n'avait voulu voir en Adèle Kuque, petite bonne femme toute grise, sèche, et parfaitement désagréable, qu'une minable tortionnaire, capable seulement de martyriser un infirme. Elle lui était beaucoup trop antipathique, paradoxalement, pour faire une suspecte. Ses mobiles ne l'intéressaient pas : si on avait ouvert le crâne de cette femme, on n'y aurait sans doute trouvé que de vieux désirs rances, des ressentiments moisis, des jalousies desséchées et poussiéreuses. Alors Lester avait chargé l'un de ses adjoints de procéder à l'interrogatoire de routine. Et du même coup il avait réduit Adèle Kuque au rôle de comparse importun et bavard, collant l'oreille aux portes et l'œil aux trous de serrure. Mais il avait eu tort : Adèle Kuque avait son rôle dans l'affaire : Suzy Point venait de le révéler, et il n'y avait aucune raison de mettre en doute son témoignage. « Comment n'y ai-je pas pensé plus tôt ? se reprochait le policier : si Mme Point a vu Linz rentrer vers quatre heures, ce matin, elle n'a pas pu aller ensuite cambrioler sa chambre. Ç'aurait été de la folie : l'homme risquait de la surprendre à tout moment. Or elle n'a certainement pas menti en affirmant avoir été témoin du retour de Linz. Elle n'avait aucun intérêt à le faire ! Il valait mieux pour elle, en effet, qu'elle le supposât absent, quelque part entre Roissy et Paris, et qu'elle pénétrât dans sa chambre pour y voler la reconnaissance de dette. Au contraire, ayant vu rentrer Linz, elle ne pouvait faire que deux choses : aller tout droit le tuer si tel était son projet, ou bien rester sagement dans son lit. En me déclarant ce matin qu'elle avait assisté au retour de Linz, Mme Point s'est donc mise elle-même au nombre des suspects. Pourtant, il y a fort à croire qu'elle se serait montrée plus circonspecte si elle avait effectivement rejoint le Dr Linz dans la salle de bains, dans l'intention de l'assassiner ! Il lui était si facile de prétendre qu'elle avait dormi paisiblement et qu'elle n'avait rien vu ni entendu ! »

« Reste que Suzy Point aurait pu cambrioler la chambre de Linz avant son retour, songea encore Lester. Mais cette hypothèse cadre mal avec le déroulement probable des événements. En effet, trois personnes, ne l'oublions pas, se sont succédé dans la chambre de la victime en l'espace de quelques minutes. Et l'une de ces personnes possédait la clé de la chambre, qu'elle n'a pu dérober, selon toute vraisemblance, que dans les vêtements de la victime, autrement dit après le meurtre. Le témoignage de Suzy paraît donc véridique au moins sur ces deux points : Linz est bien rentré vers quatre heures du matin. Au même moment, Adèle Kuque, ignorant son retour, s'apprêtait à pénétrer dans sa chambre, suivie de peu par David Weins, puis par le mystérieux personnage venu de la salle de bains — probablement l'assassin ! »

Lester demeura un moment, seul dans le noir, sur le palier du premier étage, à tourner et retourner ces hypothèses dans son esprit : la culpabilité de Suzy Point lui semblait de plus en plus improbable. Celle-ci n'aurait sûrement pas ouvert la bouche sur le retour du Dr Linz si elle s'était trouvée tant soit peu impliquée dans l'affaire. Adèle Kuque, par contre, lui apparaissait sous un jour nouveau : elle avait cambriolé la chambre de Linz, profitant de son absence et sans en avertir la principale intéressée, son amie Suzy, pour le compte de qui elle agissait. Cela dénotait un caractère aventureux et impulsif. Une telle femme, sans doute, était capable de tuer. « Et pourtant non ! réfléchit le policier. Adèle Kuque a forcé les volets et la fenêtre de la chambre, tandis que l'assassin, lui, possédait la clé de la porte blindée. » Dès lors la liste des coupables possibles ne comportait plus que deux noms : Lola Poor, et le jeune Daniel agissant sur l'initiative de David Weins. Les informations que l'inspecteur Lucas s'employait actuellement à recueillir permettraient sans doute de l'aider à les départager.

Le policier n'avait plus grand-chose à faire en attendant le retour ou le coup de téléphone de son adjoint. Il songea qu'il ne perdrait peut-être pas tout à fait son temps en interrogeant Adèle Kuque, dont la personnalité lui déplaisait de plus en plus, et dont il n'espérait pas tirer grand-chose de neuf, mais qui méritait qu'on l'embêtât au moins quelques minutes : cela lui apprendrait à réfléchir un peu avant de fracturer les fenêtres et de forcer les portes des penderies !

Il s'apprêtait à gagner le rez-de-chaussée quand la lumière se fit dans l'escalier. Suzy Point montait à sa rencontre. Elle lui tendit la reconnaissance de dette dérobée par Adèle. Elle avait l'air d'une écolière surprise pendant la classe à griffonner des poèmes d'amour sous son pupitre. Lester ne put s'empêcher de sourire. Il aimait bien que les gens eussent un petit peu peur de lui.

Arrivé au pied de l'escalier, le policier aperçut Adèle Kuque dans la salle à manger, où elle venait de s'installer pour repriser des serviettes de table. Elle semblait fort agitée, hochant la tête et se tenant à elle-même, à voix basse, des propos sans doute pleins de véhémence. Les lunettes qu'elle avait mises pour faire son ouvrage ne possédaient plus qu'une branche et reposaient de guingois sur le bout de son nez.

— Je vois qu'il n'y a pas de jour férié pour vous ! plaisanta Lester en poussant la porte vitrée.

Adèle sursauta, mais se reprit immédiatement.

— Vous voulez repriser à ma place ? fit-elle, acerbe.

Elle posa les lunettes sur la table, à côté de son ouvrage, et dévisagea le policier, l'air de dire : « Allez-y ! Faites-moi perdre mon temps ! »

Et justement, Lester avait bien envie de lui faire perdre son temps. Il n'aimait pas ce regard ni ce ton de voix.

— Vous rendez beaucoup de services, ici? demanda-t-il sur un ton de curiosité.

Il avait touché ce qui était l'autre point faible d'Adèle, avec l'avarice : son immense vanité !

— Sans moi, cette maison aurait fermé depuis longtemps ! La pauvre Suzy ne sait pas tenir une comptabilité : si vous saviez quel gâchis elle faisait dans les premiers temps, avant de me connaître ! Acheter et jeter, c'est tout ce qu'elle sait faire.

Adèle avait l'expression du plus sincère mépris. « Quelle excellente amie Mme Point possède là ! » songea le policier.

— La plupart des gens ne font pas autre chose, poursuivait Adèle. On se plaint de la crise et de la vie chère, mais on refuse de travailler et surtout de compter. Particulièrement dans la jeune génération. Ils n'ont pas connu la guerre ! Moi, je l'ai connue. J'ai appris à économiser. Tenez ! les tickets de pain : il m'en reste encore !

— C'est tout dire ! ne put s'empêcher d'ironiser Lester.

Mais Adèle était trop épatée par ses propres qualités pour ne pas croire à la sincère admiration des autres. Le policier jugea qu'elle était à point pour subir le véritable interrogatoire, il entrerait là-dedans comme dans du beurre, ou, disons, de la margarine !

— Mme Point m'a appris que vous aviez visité la chambre de M. Linz, la nuit dernière. Et elle m'a dit dans quel but.

— Je n'allais pas lui laisser perdre tout cet argent !

— Mais... cet argent... fit timidement Lester, elle le devait !

Adèle écarta l'objection d'un geste de la main :

— Elle le devait... elle le devait... fit-elle sur un ton dubitatif... Et Linz, lui, à qui les devait-il, ces cinquante millions ?

— Cinq cent mille francs, rectifia Lester. Cela suffira largement.

— Si vous préférez ! De toute façon, cet homme était un voleur.

— La preuve, c'est qu'on l'a assassiné ! ne put s'empêcher de plaisanter le policier.

Il se rendait bien compte que l'amitié n'entrait pour rien dans le geste d'Adèle Kuque, mais seulement l'avarice. Cela devait lui faire vraiment trop mal d'imaginer que cet argent aurait un jour ou l'autre à être restitué ! Et puis, si elle faisait en sorte que Suzy ne dût plus rien à Linz, elle-même, à son tour, ne devrait plus rien à Suzy.

— Tout de même, dit Lester, c'était bien risqué d'aller fouiller dans les papiers de M. Linz, et surtout de fracturer sa fenêtre. Vous n'aviez pas peur qu'il porte plainte ?

— Aucun risque ! s'esclaffa cyniquement Adèle. M. Linz n'était pas le genre d'homme qui fait appel à la police.

— Qu'est-ce qui vous faisait penser cela ?

— Vous savez, monsieur, on dit : « trop poli pour être honnête ».

Lester n'aimait pas Adèle Kuque, ni les gens qui parlent par proverbe : ou bien ce sont des idiots, ou bien ils prennent les autres pour des idiots. Quoi qu'il en fût, avec son habitude d'écouter les conversations aux portes, Adèle Kuque avait dû apprendre pas mal de choses sur le Dr Linz. Le policier se prit à regretter que la bonne femme ne fût pas entrée dans

124

la chambre, la nuit dernière, avec la clé de la victime.

— Soit ! admit-il. M. Linz n'allait pas porter plainte. Mais alors vous pouviez craindre des représailles plus dangereuses. Vous savez à présent que cet homme est un tueur... Vous le saviez peut-être déjà.

— Il ne me faisait pas peur, affirma la petite personne en gris.

Elle parcourut la salle à manger d'un regard de défi, prête à affronter tous les docteurs Linz, les docteurs Petiot ou les Landru qui se cachaient peut-être derrière les rideaux !

— En somme, conclut Lester, vous soupçonniez M. Linz de n'avoir pas la conscience bien nette, et il n'y a pas de mal à voler un voleur !

Le policier se surprit lui-même à prononcer ces paroles sur le ton, presque, de la conviction. Mais en fait de cynisme, il n'arrivait pas à la cheville de la bonne femme.

— Il ne disait rien à personne, fit encore Adèle. « Bonjour », « Au revoir », « Merci », voilà toute sa conversation en vingt ans !

Lester crut sentir un vrai dépit sous ces paroles. Adèle ne supportait pas qu'on ne s'intéressât point à son impérieux bavardage. L'indifférence, face à elle, était un affront et une énigme insupportables. Alors, pendant vingt ans, elle avait dû surveiller de près son Monsieur Linz. Elle avait surpris peut-être l'un ou l'autre de ses secrets, elle avait sans doute imaginé le reste, et finalement elle avait vu juste : elle savait que Linz ne tenterait rien contre elle. Il ne s'adresserait pas à la police, et il ne commettrait pas la folie de se faire justice lui-même. Cinq cent mille francs ne valaient pas cette peine, et d'ailleurs ne devaient pas valoir grand-chose pour lui : l'un dans l'autre, Adèle n'était pas si bête qu'elle en avait l'air, reconnut en lui-même le policier. Et quel culot ! Elle aurait pu faire une coupable fort convenable, à bien y réfléchir ! Bien plus convenable que Lola Poor, ou même que David Weins. Seulement voilà ! Les faits, les simples faits démontraient qu'elle n'avait pas tué Linz : l'assassin, encore une fois, n'avait nul besoin de forcer la fenêtre pour entrer dans la chambre de sa victime.

CHAPITRE XVII

— Qu'est-ce que vous faites ? s'écria l'inspecteur Lucas.

— Je travaille pour votre avancement !

Cécile venait de couper la communication téléphonique avec les « Glycines ». Elle gardait le doigt posé sur l'appareil et considérait le policier avec un sourire effronté.

— Pourquoi ne terminez-vous pas l'enquête tout seul ? demanda la jeune fille. Nous avons tous les éléments en main.

Lucas prit un ton solennel qui n'allait pas du tout avec son blouson de cuir, et encore moins avec le couteau qu'il cachait dans sa bottine.

— Ceci est une enquête criminelle, déclara-t-il. Je ne fais pas pas la course en sac avec mes collègues.

Cécile le qualifia de « fonctionnaire », ce qui était une manière d'insulte dans sa bouche. L'inspecteur Lucas, toutefois, lui en imposait par sa lenteur même, qui dénotait du sang-froid et de la maturité.

— C'est quand même trop bête, fit-elle plus doucement. Je viens de trouver l'adresse de ce « Georges Lara » dans l'annuaire. Il est peut-être chez lui, en ce moment. Il nous dira ce qu'il sait.

— Ce n'est pas régulier, objecta Lucas. Je dois prévenir le patron.

Une heure plus tard, Cécile et l'inspecteur Lucas se trouvaient dans le salon de Georges Lara, le réalisateur de la *Prêtresse du Dieu-Soleil*. Cécile était étendue sur des coussins brodés d'or. Lucas se tenait raidement sur le bord du canapé où Georges Lara l'avait fait asseoir, tout à côté de lui.

— Voulez-vous encore du thé ? demanda le réalisateur.

Cécile refusa d'un sourire. Georges Lara releva d'un ample geste des bras les manches de son kimono, et ouvrit une petite tabatière d'argent, pleine d'une poudre blanche dont il déposa une pincée sur une phalange de son pouce, pour la renifler en deux ou trois fois, avec délectation. Il tendit ensuite la tabatière à l'inspecteur Lucas.

— Non, merci ! fit sèchement le policier.

— Jamais pendant le service, c'est ça ?

Le réalisateur fit un clin d'œil à Lucas, et lui tapota le genou. Cécile faillit pouffer de rire. Le jeune inspecteur s'était recroquevillé sur lui-même, prêt à assommer d'un coup de poing cette vieille tante qui se dopait à la cocaïne. Il fit effort pour se calmer, et demanda la permission de téléphoner.

— Je vous en prie ! fit Lara.

Le réalisateur tendit au policier une sorte de phallus de métal doré : Cécile éclata franchement de rire en voyant son partenaire approcher avec répugnance cet objet de son oreille.

— Il a l'air bien, ce jeune policier ! De l'assurance ! Beaucoup d'assurance ! confia le réalisateur à Cécile, tandis que Lucas composait le numéro des « Glycines ».

— Allô ? Ravier ? Tu me passes le patron, s'il te plaît !

— Vous vous connaissez depuis longtemps ? voulut savoir Georges Lara.

— Depuis quelques heures, sourit la jeune fille.

— Ah ! C'est le coup de foudre !

— Qu'est-ce qui vous fait croire ça ? demanda Cécile.

— Je « sens » les choses, fit Georges Lara.

Et il inspira profondément, en fermant les yeux comme si l'air avait été chargé de cocaïne.

— Allô ? Patron ? fit Lucas. Cette fois nous la tenons ! Lola Poor et Linz se sont rencontrés il y a trente ans...

— Ça ne me rajeunit pas ! observa, morose, l'homme au kimono.

— ... et elle est devenue sa maîtresse, poursuivit l'inspecteur. Tout le monde était au courant. Ils ne cherchaient même pas à se cacher.

— Comme si les garçons ne suffisaient pas, commenta le réalisateur. Pourtant il avait tous ceux qu'il voulait !

Lucas écarta le phallus de son oreille, et se tourna vers Lara, l'air excédé.

— Excusez-moi ! Je n'arrive pas à entendre.

— Je suis bavard comme une pie, admit Lara. C'est plus fort que moi : il faut que je babille !

— J'ai un témoin en or massif, poursuivit Lucas. Le réalisateur du film.

— Ça, c'est gentil, apprécia Lara. Il a dit « en or massif ».

Cécile se leva, et vint s'étendre sur d'autres coussins, contre le canapé.

— Vous avez dit que Linz avait des aventures masculines ? demanda-t-elle à voix basse.

— Tout le monde en a, au moins dans sa tête, affirma le réalisateur.

Cependant Lucas poursuivait son exposé au téléphone :

— Il n'y a pas de preuve formelle, mais Lola Poor a certainement assassiné son mari avec la complicité de Linz. Elle l'a empoisonné. Et vous trouverez sans doute le poison dans la chambre de Linz. Dans une statuette.

— Il a un physique, estimait Georges Lara. Un vrai physique ! Très moderne ! Intéressant ! Il devrait faire des essais.

— Des essais ? questionna Cécile.

— Oui ! Pour un rôle ! Il pourrait faire une carrière.

— Il en fait déjà une, dit Cécile avec une certaine fierté.

Et en cet instant, tout ce qui existait sembla beau et harmonieux à la jeune fille : le réalisateur en kimono, les coussins de satin et de velours, le brûle-parfum de cristal, et surtout le jeune policier qui se tenait devant elle et qui expliquait si clairement comment il venait de résoudre l'énigme de la mort de M. Linz.

CHAPITRE XVIII

L'inspecteur Lester attendait encore le résultat de l'autopsie, mais les investigations, à ses yeux, étaient pour l'essentiel terminées. Il n'éprouvait pourtant pas ce plaisir particulier et subtil que lui apportait d'habitude l'heureuse conclusion d'une enquête. Certes, la coupable était identifiée sans erreur possible : Lola Poor se désignait elle-même par ses mensonges, par son passé, et sans doute par un premier crime. Elle avait été la maîtresse de Linz, et elle demeurait la seule personne, avec Juliette, qui pût se trouver dans une salle de bains en même temps que celui-ci. Lola Poor avait donc assassiné son ancien complice, probablement au cours d'une querelle, et probablement sans la moindre préméditation : l'arme du crime indiquait assez le caractère d'improvisation de son acte. Mais en supprimant Linz, la comédienne avait rendu service à beaucoup de monde, et cette « distribution aux actionnaires » des bénéfices du meurtre avait quelque chose de choquant. Il y avait là une plus-value de l'assassinat qui n'entrait décidément pas dans une bonne comptabilité. Or, si le policier se moquait au fond de la justice, et du bien, et du mal, il aimait toutefois que chaque chose fût exactement à sa place, tout comme Adèle inspectant le salon des « Glycines », ou les placards de la cuisine, ou la vie des autres gens. Autrement, le monde n'aurait bientôt plus été qu'anarchie et chaos, un indéchiffrable désordre, voué à la prochaine désagrégation et au néant !

La malheureuse Juliette se voyait à présent délivrée d'un odieux chantage. Cela, le policier le voulait bien. Le destin s'était enfin montré généreux avec la pauvre fille. Mais David Weins et son petit complice s'en tiraient un peu facilement. On leur avait chipé leur meurtre, on avait fait échouer leur perverse machination, mais en revanche on leur offrait gratis le cadavre de Linz. Que pouvaient-ils espérer de mieux ? Le cas de Suzy Point et d'Adèle Kuque n'était pas plus satisfaisant pour l'esprit. La mort de leur créancier les libérait vraiment de leur dette et Lola Poor leur avait épargné la besogne, à elles aussi ! Ainsi la comédienne avait assassiné Linz, mais elle était surtout coupable, aux yeux de Lester, d'avoir empêché les autres d'accomplir leur propre forfait. Il resterait toujours dans cette affaire un relent de désordre et d'inachèvement, et cette odeur était plus incommodante, pour le policier, que celle du cadavre.

Vers sept heures, Lester donna congé à ses adjoints ainsi qu'aux gendarmes. L'inspecteur Lucas allait arriver d'un moment à l'autre, et les deux policiers procéderaient à l'arrestation de Lola Poor. Il n'était pas besoin d'un grand déploiement de forces pour accomplir cette dernière formalité, qui déplaisait passablement à Lester. Celui-ci, toutefois, avait ordonné que tous les habitants des « Glycines » fussent réunis dans le salon à partir de huit heures : s'il devait bel et bien arrêter la comédienne, malgré qu'il en eût, il ne se priverait pas de dire à chacun des autres ce qu'il pensait de lui !

Lola Poor venait de revêtir une somptueuse robe à crinoline, qu'elle avait portée voici trente ans dans *le Bal de l'Impératrice*. Elle achevait de se maquiller devant le miroir de sa coiffeuse. Mais ses mains tremblaient, et ses lèvres frémissaient d'un sanglot retenu. Elle dut reprendre à plusieurs fois le trait de pinceau qu'elle avait commencé de poser sur sa paupière. Elle plissa soudain les yeux, porta les mains à son visage, et deux larmes noires coulèrent sur ses joues.

On venait de frapper à sa porte, mais elle n'avait pas entendu. On frappa encore, et la porte s'entrouvrit. Juliette apparut sur le seuil. Lola redressa lentement la tête.

— Excusez-moi, madame, fit doucement Juliette. Les policiers veulent qu'on soit tous dans le salon dans une demi-heure.

Lola sourit à la jeune fille, sans chercher à dissimuler ses larmes, et murmura pour elle-même :

— Dernier acte... et rideau...

— Ça ne va pas, madame ?

Le sourire de Lola Poor s'accentua en grimace.

— Mais si ! dit-elle avec effort. J'y serai !

Juliette entra dans la pièce, et referma la porte derrière elle.

— Vous croyez... qu'ils ont trouvé ? demanda-t-elle en hésitant.

La vieille actrice ferma les yeux, et dit sur un ton d'indifférence :

— Ils trouvent toujours quelque chose... Il le faut bien !

— Oh, madame ! Ce serait terrible !

La jeune fille avait pâli. Elle avait l'air bouleversée.

— Mais non ! Rien n'est vraiment terrible ! fit la comédienne avec lassitude.

Les policiers et les gendarmes quittaient la maison et se dirigeaient vers leurs voitures, quand Cécile et l'inspecteur Lucas arrivèrent aux « Glycines ». Le jeune inspecteur, les chaussures jaunes du patron à la main, fut chaudement félicité pour son action décisive, et personne ne le prit vraiment au sérieux, pas même Cécile, quand il déclara que le mérite en revenait surtout à la jeune fille, qui l'avait poussé à recueillir le témoignage de Georges Lara, le réalisateur de *la Prêtresse du Dieu-Soleil*.

— Je n'ai jamais vu le patron dans cet état, fit Ravier. Il tient une coupable magnifique, grâce à toi, mais il a l'air furieux.

— Peut-être estime-t-il que tu lui as soufflé le beau rôle dans cette affaire, suggéra Belmont.

— Mais non ! Il n'est pas comme ça ! dit l'inspecteur Bismuth.

Lucas regarda l'estafette des gendarmes démarrer et s'éloigner vers la route.

— Pourquoi partez-vous ? demanda-t-il.

Tout le monde en voulait un peu au patron. Sa mauvaise humeur ne se justifiait pas. L'affaire était résolue, et toute l'équipe aurait dû rester pour le dénouement : chacun avait accompli sa tâche avec efficacité, pour le compte des cinquante millions de citoyens qui digéraient leur repas de réveillon, et qui liraient distraitement l'histoire dans les journaux du lendemain matin.

— On n'est pas invité à la remise de décoration, fit Ravier.

— Le patron veut que ce soit dans la plus stricte intimité, ironisa Belmont.

— Il t'attend dans la chambre de Linz, dit Ravier.

Lucas et Cécile traversèrent le vestibule sous les regards attentifs des pensionnaires assemblés dans le salon. Cécile voulut aller rassurer sa mère, mais Lucas lui prit le bras et l'entraîna dans l'escalier.

Lester les attendait dans la chambre de Linz. Il n'y eut pas de congratulations. L'inspecteur principal n'était plus qu'un fonctionnaire s'acquittant d'une tâche ingrate et fastidieuse. Dans quelques minutes il procéderait à l'arrestation de Lola Poor, et du même coup les coupables lui échapperaient définitivement. La justice n'y gagnerait certes pas, et la logique encore moins.

— Montrez-nous cette statuette ! fit-il à Cécile sans préambule.

La jeune fille inventoria brièvement la vitrine. Son regard s'arrêta sur le visage aux yeux de jade du *Seigneur de la Nuit*.

— La voilà ! s'exclama-t-elle.

Ainsi la statuette se trouvait ici depuis tant d'années, après avoir attendu pendant des siècles dans l'ombre de la crypte de Palenque, au Mexique ! Le *Seigneur de la Nuit* fixait l'éternité de ses yeux verts et contenait le Destin sous ses flancs, dans un flacon d'améthyste à la couleur de deuil.

La jeune fille prit la statuette dans ses mains. Son cœur se mit à battre plus fort : une sorte de crainte l'avait saisie au moment de toucher cet objet qui paraissait presque vivant et qui semblait la considérer comme d'infiniment loin, et depuis le fond des temps.

Le *Seigneur de la Nuit* fut déposé sur la table. Quelques secondes passèrent avant que Cécile, Lucas, ou même Lester, osassent y porter à nouveau la main.

— Eh bien... dit enfin celui-ci, ouvrez-la !

Cécile posa en hésitant les doigts sur la tête de la statuette, et tenta de la tourner dans un sens, puis dans l'autre.

— Laissez faire Lucas, mademoiselle ! Aucune fermeture ne lui résiste.

Le jeune policier s'approcha de la table. Avec son blouson de cuir et ses allures de petit délinquant, il semblait prêt à tordre le cou au *Seigneur de la nuit* pour lui faire rendre ses économies. Mais il palpa la statuette avec une telle délicatesse, en vérité, que celle-ci s'ouvrit d'elle-même, et comme irrésistiblement. Le flacon d'améthyste apparut. Lucas s'écarta de la table, laissant à son chef le privilège de saisir la pièce à conviction.

L'inspecteur principal approcha le flacon de la lampe, et fit apparaître dans la transparence du cristal mauve, le liquide qui l'emplissait encore à moitié.

— On analysera cette cochonnerie demain.

Il s'assura que le flacon était hermétiquement clos avant de le mettre dans sa poche.

Le téléphone sonna au moment où les deux policiers et la jeune fille s'apprêtaient à quitter la chambre. Lucas prit la communication.

136

— C'est pour vous, patron ! Ils ont terminé l'autopsie.

— J'en ai pour une minute ! Allez m'attendre au salon, et faites patienter ces braves gens, dit Lester en prenant l'appareil.

CHAPITRE XIX

Le salon était un musée de cire. L'attente et
l'anxiété semblaient avoir ôté la vie aux personnages
qui se tenaient là, immobiles et muets, le plus loin
possible les uns des autres. Adèle avait choisi un
fauteuil sous l'une des fenêtres. Suzy se trouvait sous
l'autre fenêtre. Lola Poor, qui occupait le canapé,
face à la cheminée, leur tournait le dos. Juliette
s'était cachée derrière le battant de la porte, sur un
tabouret. David Weins et son ami Daniel se tenaient
côte à côte, chacun sur sa chaise rustique, et fixaient
le mur, devant eux, pour éviter de voir les autres. Ils
ne paraissaient pas se connaître. Albin Kuque dormait dans son fauteuil. On lui avait enlevé les
lambeaux de son chandail incendié, et la couverture
dont on l'avait enveloppé ensuite s'était affaissée sur
les bras du fauteuil, découvrant ses épaules pointues. Personne ne faisait attention à lui.

Cécile et Lucas entrèrent dans la pièce et s'assirent ensemble près de la cheminée, sans que le
silence et l'immobilité en fussent le moins du monde
troublés. La jeune fille nota que sa mère, parfaitement isolée dans le cercle de ses réflexions inquiètes,
n'avait pas levé les yeux sur elle. Chacun attendait

l'inspecteur principal Lester, et ne reprendrait vie que pour l'entendre divulguer le nom d'un coupable. Pour le moment, les visages étaient tendus au point d'en perdre toute expression, et Cécile avait du mal à reconnaître tante Adèle ou sa propre mère dans les deux femmes qui se tenaient raidement assises face à elle, à l'autre bout de la pièce. La jeune fille aurait pu se lever, aller les rassurer, mais elle demeura près de l'inspecteur Lucas, comme si sa place avait été désormais aux côtés du jeune policier, face aux autres, à tous les autres, et à sa propre mère, qu'elle considérait maintenant avec une curiosité fascinée, toujours sans vraiment la reconnaître.

Suzy était innocente, pourtant. Cécile n'en avait jamais douté, et à présent elle en avait la preuve, juste devant elle : Lola Poor se tenait sur le canapé Napoléon III, le buste bien droit, la physionomie impassible, les yeux perdus dans la contemplation du vide. Elle semblait très vieille, ce soir, la figure trop maquillée, les épaules nues, la taille serrée dans sa robe à crinoline. Une vieille poupée au visage de porcelaine, les mains sagement croisées sur les genoux. Cécile avait pitié d'elle, en vérité. Elle ne voulait plus savoir quel secret pervers se dissimulait dans la tête de porcelaine comme le poison dans sa fiole d'améthyste. Il semblait à la jeune fille qu'aucun châtiment plus cruel ne pouvait atteindre Lola Poor que d'être à ce point irréelle, sous son regard !

L'inspecteur Lester venait de reposer le téléphone. Il prit les chaussures que Lucas venait de lui apporter, et il s'assit dans un fauteuil pour les enfiler.

Il fit tout cela lentement, et comme machinalement. Il n'était plus du tout pressé de descendre au salon. Il devait auparavant accomplir un certain nombre de tâches de la plus haute importance. Ayant fini de lacer ses vieilles chaussures à semelles de crêpe, il se leva et se mit en devoir d'examiner à nouveau la chambre de M. Linz. Il ne savait pas par où commencer, mais il avait tout son temps, et il ne descendrait pas avant d'avoir trouvé ce qu'il cherchait.

Lucas arpentait maintenant le salon, de la fenêtre à la cheminée, puis de la cheminée à la porte. Il semblait être le seul vivant dans la pièce, gardien des statues de cire qui l'environnaient. Cécile, à son tour, s'était laissé prendre dans la gangue d'inquiétude, de silence, de solitude. Elle se demandait ce qui se tramait là-haut, et pourquoi l'inspecteur Lester n'était toujours pas descendu. Une demi-heure, peut-être, avait passé, et maintenant elle n'était plus sûre de rien. L'attente faisait une pénombre, dans son esprit, où les hypothèses les plus folles commençaient à prendre corps : l'inspecteur Lester allait faire irruption dans le salon, l'index pointé sur elle, Cécile, et l'accuser ! (Tante Adèle ne lui avait-elle pas enseigné jadis que chacun de nous, même le plus innocent, même l'enfant qui vient de naître, porte le fardeau du péché, qui tient plus à notre nature qu'à nos actes ? Tante Adèle avait de la religion quand il s'agissait de débusquer le mal, la faute soigneusement cachée, ou seulement l'idée coupable. Rien ne lui échappait. Lola Poor évitait sa conversation, M. Linz semblait ne pas la voir, mais Suzy subissait bon gré mal gré son ascendant, et les femmes de chambre qui se succédaient aux « Glycines » la redoutaient, sachant bien que Mme Adèle pesait le beurre, comptait chaque jour les morceaux de sucre, et finissait toujours par découvrir « ce qui manquait ».)

L'inspecteur Lester avait longuement examiné la porte blindée. Il avait vérifié le fonctionnement de la serrure, s'assurant qu'il n'y avait pas moyen de la crocheter. Il avait essayé de bloquer le pène à l'aide d'une allumette, mais cela aussi s'était révélé impossible. Seul un cambrioleur très habile aurait pu ouvrir cette porte sans la clé, en admettant même que le verrou n'eût pas été tiré. Mais le policier savait à présent que l'assassin de Linz avait dû pénétrer dans la chambre au moins quelques heures avant la mort de la victime.

Or M. Linz gardait toujours sur lui la clé de la porte. Certes, il en possédait deux autres exemplaires, mais ceux-ci se trouvaient dans le double fond de la valise noire, et même si l'assassin en avait connu l'existence, il n'aurait pas su les découvrir dans cette cachette. Alors se pouvait-il qu'une quatrième clé eût été fabriquée à l'insu de Linz ? La chose était bien peu probable, car ce modèle était de ceux qui ne peuvent être reproduits que par le fabricant lui-même, sur présentation d'une carte numérotée. Et cette carte, on l'avait trouvée précisément dans la valise noire, à côté des deux clés de rechange.

L'inspecteur Lester abandonna la porte blindée et se dirigeait vers la penderie. Adèle Kuque s'était cachée dans ce réduit au moment où David Weins entrait dans la chambre. Quelqu'un d'autre, ensuite, avait tourné la clé dans la serrure, emprisonnant Adèle dans la penderie.

Lester n'était pas tout à fait certain de l'identité de ce troisième larron, qui avait trouvé la clé dans les vêtements de Linz aussitôt après le meurtre, mais qui, à y réfléchir davantage, n'était pas nécessairement l'assassin. En fait, le policier hésitait maintenant entre deux personnes.

Il entra dans la penderie en écartant les vêtements accrochés à leurs cintres. Le fond du réduit n'était constitué que d'une très mince cloison, venant vraisemblablement à la place d'une ancienne porte de communication entre la chambre de Linz et la chambre 5. Lester crut un instant qu'il tenait la solution de l'énigme : la cloison devait pouvoir se déposer, et l'assassin s'était introduit chez Linz en passant par la chambre voisine et en traversant la penderie. Mais le policier dut bien vite abandonner cette hypothèse. Le papier mural qui garnissait l'intérieur du réduit ne laissait apparaître aucun interstice. Le passage était manifestement condamné depuis de nombreuses années.

L'inspecteur Lucas entra dans la chambre au moment où Lester ressortait de la penderie.

— Patron ! Ils sont au bord de la crise de nerfs, dans le salon !

— Moi aussi ! fit Lester avec humeur.

Il saisit la cravate de M. Linz qui lui pendait à l'épaule, et la jeta par terre d'un geste brusque.

— Quelque chose ne va pas ? demanda Lucas.

— Nous faisons fausse route depuis le début !

Le jeune inspecteur était trop abasourdi pour répondre quoi que ce soit : n'avait-il pas réuni lui-même, en quelques heures, suffisamment de preuves

142

pour faire condamner Lola Poor plutôt deux fois qu'une ?

— En trente ans de carrière, je n'ai jamais entendu parler d'une affaire aussi bizarre, reprit Lester : plus nous nous approchons d'un coupable, plus nous nous éloignons de la solution !

— Cela n'a pas de sens, patron.

— Que cela nous plaise ou non, il faut qu'il y en ait un. Mais il me manque une preuve, la dernière pièce du puzzle. Et je sais qu'elle se trouve dans cette pièce, quelque part devant moi. Cela crève sans doute les yeux, mais je ne vois rien !

— Comme les lunettes qu'on cherche en vain parce qu'on les a sur le nez, sourit Lucas.

L'inspecteur Lester parut trouver un intérêt extraordinaire dans la formule bien banale que son adjoint venait de prononcer : il répéta pour lui-même, à voix basse :

— Les lunettes qu'on cherche en vain parce qu'on les a sur le nez !

Puis il éclata de rire !

— Mais oui ! on ne peut pas les voir, et pourtant on y voit mieux, parce qu'on les a sur le nez ! Et mieux on y voit, moins on a de chance de les voir ! C'est bien ce que je disais : dans cette affaire, chaque indice, même le plus solide, chaque hypothèse, même la plus sûre, nous éloigne un peu plus de la solution.

Il se tourna vers Lucas, qui le regardait avec un ébahissement teinté d'une légère inquiétude.

— Retournez au salon ! commanda Lester. Vous n'aurez plus à m'attendre bien longtemps !

CHAPITRE XX

Lucas rentra au salon en évitant le regard interrogateur de Cécile. Il partageait à présent l'anxiété des pensionnaires des « Glycines », rassemblés depuis plus d'une heure pour entendre désigner le coupable, dès lors que l'inspecteur Lester, disait-on, avait terminé son enquête. Qu'allait-il répondre, si la jeune fille lui demandait la raison de cette attente ? Que s'était-il passé dans la chambre de la victime ? Quel nouvel indice avait découvert le patron ? Et si Lola Poor n'était pas l'assassin de Linz, qui d'autre allait-on arrêter ce soir ? Suzy, peut-être ? Mais l'inspecteur Lucas ne voulait pas envisager cette hypothèse : il n'allait tout de même pas emmener, menottes aux poignets, la propre mère de la séduisante personne qu'il avait invitée à dîner ce soir !

Lucas fit lentement le tour de la pièce, avant de revenir s'asseoir près de Cécile. Après tout, il n'était pas responsable de ce qui se passait là-haut. Le patron n'avait pas cru devoir l'instruire de ses nouvelles conjectures.

— Quelque chose ne va pas ? demanda tout bas la jeune fille.

144

— Quelque chose ne va pas! répéta simplement Lucas.

Cécile hocha lentement la tête.

— Cela ne m'étonne pas, fit-elle avec aigreur. Nous avons mené l'enquête à la place de votre chef, et je suppose que le procédé lui déplaît.

Cela ne ressemblait pas à Lester, songea le jeune inspecteur. Mais il préféra se taire, et s'efforça de supposer que Cécile pouvait avoir raison.

L'inspecteur principal, cependant, poursuivait ses investigations dans la chambre de Linz. Il examinait à présent la porte-fenêtre, espérant y trouver, selon l'expression qu'il venait d'employer devant Lucas, la « dernière pièce du puzzle ». Chacun des deux battants était divisé en quatre parties de dimension égale. Les trois panneaux supérieurs portaient chacun une vitre, mais le panneau inférieur était plein. Ou du moins il aurait dû l'être : une sorte de trappe, d'environ quinze centimètres de côté, avait été ménagée dans le panneau de gauche. L'abattant pouvait se pousser aussi bien vers l'extérieur que vers l'intérieur. Il suffisait d'une faible pression de la main. Lester se rappela qu'il avait vu, ailleurs dans cette maison, sur les portes ou sur les fenêtres, plusieurs autres ouvertures, également masquées par un abattant, et de la même dimension que celle-ci. Mais il n'y avait pas prêté grande attention.

Une minute plus tard, il entrait dans le salon. Adèle tortilla nerveusement le col de sa robe grise. Suzy croisa et décroisa les jambes, deux fois de suite. Daniel posa la main sur l'avant-bras de David et le

145

serra à lui faire mal. Albin Kuque dormait paisiblement.

Lester s'approcha de Lola Poor, qui semblait
l'attendre et le regardait presque familièrement.
Cécile et Lucas échangèrent un bref sourire de
soulagement. Tout rentrait dans l'ordre : l'inspecteur Lester allait arrêter Lola Poor, coupable du
meurtre du Dr Roger Linz.

— Madame Lola Poor, commença Lester, pour
l'assassinat de votre mari, Jean Maréchal, le 3 janvier 1954, vous bénéficiez de la prescription...

Tous les regards venaient de converger vers la
comédienne : regard d'étonnement de David Weins
et de son ami, regard de pitié de Cécile, à laquelle se
mêlait pourtant une expression d'immense soulagement, regard de froid triomphe d'Adèle, mais également de Suzy. Lester poursuivit :

— Quant à votre complice, le Dr Linz, il ne peut
plus répondre de ses nombreux crimes, puisqu'il est
mort !

Le policier s'interrompit sur ces mots, et se
détourna de Lola, pour s'approcher de David Weins
et de Daniel, qu'il dévisagea pendant quelques
secondes sans rien dire. Daniel cligna des yeux,
pâlit, et choisit de fixer le plancher.

— N'est-ce pas, Messieurs ? le Docteur Linz est
mort, et bien mort !

Les paroles de Lester claquèrent comme un coup
de fouet dans le silence. Le policier gagna ensuite la
fenêtre devant laquelle se trouvait Suzy, et reprit :

— Plutôt deux fois qu'une, madame Point ! Ce
n'est pas vous qui allez me contredire !

Cécile et l'inspecteur Lucas s'interrogèrent l'un
l'autre du regard, également interloqués.

— Qu'est-ce qui lui prend? fit pour lui-même le jeune policier.

— Pourquoi s'attaque-t-il à tout le monde? demanda la jeune fille. Il se prend pour Dieu le père, ma parole!

— Il doit avoir ses raisons, fit Lucas. La mégalomanie n'est pas son genre.

Lester retournait maintenant vers Lola Poor. Celle-ci considérait le policier avec une expression d'ironie complice. Son visage s'était soudain détendu. On aurait dit qu'elle lisait les pensées de Lester et qu'elle leur trouvait une vertu comique, au milieu du drame et de l'angoisse. Le policier sourit à son tour :

— Je crois bien que vous m'avez deviné, madame Lola Poor. Vous voyez? Les policiers ne sont pas si bêtes!

Lester s'interrompit un instant pour savourer cette dernière observation. Puis il reprit :

— Donc, quand vous avez jeté le sèche-cheveux dans la baignoire, M. Linz était déjà mort... ou ne valait guère mieux...

Le sourire de la comédienne s'accentua. Elle fit lentement « oui », de la tête. Le visage de Daniel avait pris la couleur et la consistance de la craie. Le jeune homme s'accrocha des deux mains à l'avant-bras de son ami, comme pour ne pas dégringoler dans l'autre monde. David s'était simplement raidi sur sa chaise, et toisait l'inspecteur Lester d'un regard de défi. Celui-ci s'apprêtait à revenir aux deux jeunes gens, quand subitement Juliette s'élança depuis la porte et se jeta aux genoux de Lola Poor, lui saisissant les mains et criant :

— Mais dites-lui, madame ! Dites-lui ! C'est moi qui l'ai jeté ! Pas vous !

Lester avait tressailli, visiblement surpris par les paroles de la jeune fille. Celle-ci levait vers lui un visage baigné de larmes et poursuivait :

— C'est moi ! Elle n'a pas pu, elle ! Elle voulait, mais elle ne pouvait pas !

— Tais-toi donc ! l'interrompit la comédienne. Tu as la vie devant toi, et tu veux la gâcher ?

Lola secouait Juliette, comme pour en détacher ces aveux insensés qui risquaient de la perdre, et sa voix grave couvrait celle de la jeune domestique :

— Tu n'as rien fait, tu entends ? Tu n'as rien à voir avec cette histoire ! Tu es innocente ! Ton fiancé n'apprendra rien, je te le jure ! Tu es innocente !

Lucas s'était levé. Lester lui fit un signe de la main, pour qu'il vienne prendre Juliette. Le jeune policier releva la jeune fille, que le désarroi privait de ses forces et qui le suivit sans résistance. Lucas la fit asseoir à côté de Cécile. Pendant quelques secondes on n'entendit plus que les sanglots de Juliette et le ronflement régulier d'Albin Kuque.

— Juliette ? murmura pour lui-même l'inspecteur Lester.

— Elle n'y est pour rien ! répéta Lola.

La comédienne s'était exprimée sur un ton de simple autorité, qui n'allait plus avec sa robe extravagante, ni avec l'exagération poignante de son maquillage. Pendant une seconde, Lester eut le sentiment que la mystérieuse et sublime Lola Poor se réveillait d'un sommeil de cent ans, et qu'elle était rendue à elle-même, ayant vécu jusqu'au bout, tragiquement, son rôle dans le fameux conte. Lola Poor s'accusait du meurtre de Linz, mais du même

148

coup elle se délivrait du sortilège qui avait si longtemps pesé sur elle.

— Juliette n'a rien à se reprocher, affirma de nouveau la comédienne.

— J'aimerais mieux, dit Lester à voix basse, comme s'il avait désiré n'être entendu que de Lola Poor, ou peut-être de Celui qui détient toute Vérité et dispense toute Justice. Car en cet instant le policier, d'habitude si sceptique et plein d'ironie, ne désirait plus qu'une chose : découvrir un innocent dans cette affaire. Et Dieu seul aurait pu décider s'il se trouvait une seule personne, dans ce salon, qui fût vraiment étrangère à la mise à mort de M. Linz.

— C'est moi qui ai jeté ce sèche-cheveux, reprit Lola. Et c'est ce que j'ai fait de mieux dans ma vie...

La comédienne s'exprimait d'une voix ferme. Sa physionomie ne trahissait aucune crainte. On aurait pu croire que, loin de s'accuser elle-même, elle apportait son témoignage dans une affaire qui lui était parfaitement étrangère, désormais.

— Je savais ce que cet homme faisait subir à la malheureuse Juliette, poursuivit Lola, et rien que pour cela, il méritait qu'on le supprime. Mais il y avait pire ! Bien pire !

Le regard de l'actrice, comme sa voix, devenait plus clair d'instant en instant. Chacun la considérait avec étonnement. Cécile ne reconnaissait plus, dans cette vieille dame qui respirait maintenant l'énergie, la fée mystérieuse et tragique de son enfance. Suzy écarquillait des yeux incrédules. On lui avait changé sa Lola ! Et qu'allait-il se passer maintenant ? Quelles révélations stupéfiantes allaient sortir de la bouche du personnage qui venait de naître ?

— Oui ! reconnut Lola. J'ai été la maîtresse de

Linz. Nous avons fait connaissance au Mexique, pendant le tournage de mon dernier film. Nos producteurs l'avaient engagé comme médecin de l'équipe, mais son rôle principal était de conseiller le réalisateur sur les questions d'ordre historique. Il connaissait mieux que personne les anciennes civilisations indiennes, leur religion, leur art, leur technique...

— Et il connaissait mieux que personne leurs poisons, intervint Lester.

— Il possédait cette statuette du *Seigneur de la Nuit,* qui a servi dans le film. Et il avait découvert la tradition selon laquelle le Prêtre-Roi de Palenque devait mourir au bout de vingt-trois ans de règne, en absorbant la substance contenue dans la fiole d'améthyste.

— Et cette substance, comme vous dites, a tué votre mari !

— Oui ! Mais c'est Linz qui l'a empoisonné. Je ne le voulais pas. Je vous le jure.

Lola se tut pendant quelques secondes, et plissa les yeux comme pour échapper aux visions trop précises qui l'assaillaient maintenant. Puis elle reprit :

— Je suis devenue sa maîtresse, mais je ne l'aimais pas. J'étais sous son emprise, et comme saisie par le vertige. Je ne pouvais plus bouger. Je n'avais plus de volonté... Par la suite, je me suis demandé s'il ne m'avait pas droguée, quand j'ai compris qu'il se servait de stupéfiants dans ses injections, pour garder tout son pouvoir sur certaines de ses riches clientes.

— Vous n'avez rien fait pour sauver votre mari ? demanda Lester.

— Je n'ai pas réalisé tout de suite que Linz était un assassin. C'est lui qui m'a révélé comment mon mari était mort, quelques jours après son forfait. Et il m'a dit : « Te voilà ma complice. Si tu me dénonces, tu te perds toi-même. »

— Et vous ne l'avez pas dénoncé !

— J'avais peur de lui... Ma vie venait de perdre tout son sens, mais j'avais encore peur de mourir. Et je savais qu'il n'hésiterait pas. Pendant plus de trente ans j'ai pensé qu'il me tuerait un jour. C'était un pervers. Il aimait faire souffrir. Il aimait le mal pour le mal.

— Il y a eu quelques autres victimes, après votre mari, fit Lester.

— Des femmes ! Des dizaines de femmes ! Il ne se contentait pas de leur faire ses piqûres contre les rides ! Quand elles étaient assez riches et qu'il pouvait les dépouiller, il les « rajeunissait » pour l'éternité... C'était son expression. Il a été condamné. Il a fait de la prison. Mais il n'a jamais renoncé à ses activités. Il n'en avait pas besoin pour vivre, mais je crois qu'il y prenait trop de plaisir. Il ne pouvait plus s'arrêter. Et moi, pendant plus de trente ans, j'ai regardé ça sans rien faire. Je savais qu'il faisait mourir ces femmes... Et finalement je me disais que c'était par accident. Je ne voulais pas voir cette horreur en face !

Lola Poor ferma de nouveau les yeux, et inspira profondément. Lester était partagé entre l'indignation et la pitié. Cette femme n'avait peut-être pas empoisonné son mari. Elle n'avait sans doute pas prêté la main aux nombreux meurtres dont le Dr Linz s'était rendu coupable. Elle n'avait été criminelle que par son silence, par son aveuglement délibéré, ou parce qu'elle se sentait elle-même trop coupable, trop souillée par sa propre lâcheté pour s'élever contre les agissements du monstrueux Dr Linz.

— Hier, reprit Lola Poor, j'ai eu enfin le courage ! Je sais que je ne me suis pas rachetée. Je sais qu'on ne peut pas racheter trente ans de silence et de honte. Mais au moins il ne tuera plus personne ! C'est moi qui ai supprimé Roger Linz ! Moi seule !

Lester se détourna de Lola Poor sans ajouter de commentaire. Il fit quelques pas, les poings enfoncés dans les poches. Puis il revint vers la comédienne :

— Vous avez sans doute assassiné un mort, madame ! Et vous le savez aussi bien que moi !

— Mais non ! Il n'était pas mort ! s'écria Lola Poor sur un ton de défi.

— Très bien ! répondit Lester sur le même ton. Il n'était pas mort ! Je vous laisse le premier rôle dans la grande scène de la salle de bains ! Mais vous n'y étiez pas seule ! Nous en avons la preuve !

Lola Poor s'était affaissée sur elle-même, comme privée de l'énergie qui l'avait animée pendant un instant : allait-on lui enlever le bénéfice d'un meurtre qui lui rendait un peu de sa propre estime ?

— Je vous écoute ! fit après quelques secondes le policier, sur un ton d'impatience.

— Comme vous voudrez ! murmura Lola Poor.

Elle voulut allumer une cigarette, mais ses membres tremblaient de telle sorte que la flamme du briquet ne put l'atteindre. Lester prit la main de la vieille comédienne et la guida. Il sentit des doigts osseux et glacés. Des taches brunes couvraient les phalanges. La belle au bois dormant s'évadait enfin de trente années de malédiction, mais elle n'était

152

plus qu'une vieille femme. Tout cela venait bien trop tard ! Elle ne s'était réveillée que pour se voir mourir.

Lola Poor expira longuement la première bouffée de sa cigarette, et commença son récit.

— Il était un peu plus de quatre heures, ce matin. Je ne dormais pas. Il me faut des heures pour m'endormir. J'ai entendu la voiture de Mme Point s'arrêter devant la grille, puis la portière que l'on claquait. Quelques instants plus tard j'ai reconnu la voix du Dr Linz dans le couloir. Il parlait tout bas. L'autre aussi. Ils sont allés directement dans la salle de bains. Ils ont fait couler l'eau dans la baignoire. Je ne sais pas ce qui s'est passé dans les minutes qui ont suivi. Sans doute me suis-je assoupie. Soudain, des cris m'ont réveillée. Puis, plus rien ! Je ne me suis pas levée tout de suite : depuis trente ans je fais des cauchemars où l'on m'appelle au secours. Mais je reconnaissais peu à peu la voix que je venais d'entendre. Je ne la reconnaissais que trop bien ! Alors j'ai enfilé ma robe de chambre, et je suis sortie dans le couloir. De la lumière filtrait sous la porte de la salle de bains. J'ai demandé : « Qui est là ? » Pas de réponse ! J'ai poussé. J'ai encore appelé, deux ou trois fois, pas trop fort, pour ne pas réveiller toute la maison... J'avais toujours la main sur la poignée de la porte, et je ne savais pas quoi faire... Soudain je sentis la poignée m'échapper. La porte s'ouvrit en grand. Un homme en robe de chambre jaillit en me bousculant, et s'enfuit dans le couloir...

— Avez-vous reconnu cet homme ? demanda Lester.

Lola reprit son récit sans répondre à la question du policier :

— Je suis entrée dans la salle de bains, et j'ai découvert le Dr Linz, entièrement immergé dans la baignoire, le visage déjà bleu. Il ne bougeait plus. Il semblait mort. Et moi, curieusement, je ne ressentais rien. Aucune surprise. Aucun effroi. Je me demandais seulement ce que j'allais faire du corps. J'aurais voulu l'enlever de la salle de bains, si j'en avais eu la force, et l'enterrer quelque part dans le jardin. Cela ne servait à rien que Linz fût mort, si l'on ne pouvait le faire disparaître totalement.

— Ainsi, observa Lester, vous étiez prête à couvrir le crime de quelqu'un d'autre !

— Quel crime ! s'esclaffa Lola. Il fallait qu'il meure ! Et quelqu'un devrait payer pour cela ?

Juliette fixait Lola d'un regard implorant. Chaque mot de la comédienne la mettait au supplice : pourquoi s'accusait-elle ainsi ? Pourquoi cette absurdité ? Les policiers allaient-ils emmener la seule personne qui lui fût jamais venue en aide ?

Lester parut hésiter un instant, puis il dit :

— Il faut pourtant que quelqu'un paie, madame !

— Mais c'est injuste ! C'est trop injuste ! s'écria soudain Juliette.

Lester ne sembla pas l'entendre. Il ne leva pas les yeux sur la jeune fille. Et pourtant c'est à ses paroles qu'il répondit :

— Il n'est pas question de justice, ou d'injustice ! J'ignore ce que c'est, et nul ne peut prétendre le savoir. Je ne me soucie que de l'ordre. Et l'ordre, c'est d'éviter qu'il y ait trop de cadavres dans les baignoires. Rien de plus.

Le policier s'était à nouveau éloigné de Lola Poor. Il arpentait le salon, les yeux fixés au sol, parlant

154

pour lui-même comme s'il s'était trouvé seul dans la pièce :

— Je n'ai pas de sympathie ou d'antipathie pour les gens que j'arrête, et je ne suis pas chargé de les juger, Dieu merci ! A chacun son travail : cela aussi fait partie de l'ordre. Mais aujourd'hui je ferai peut-être une exception. Pour une fois il ne m'appartient pas seulement de découvrir un coupable. Il me faut en même temps le choisir.

Il s'arrêta devant la cheminée et fixa longuement les braises qui finissaient de se consumer.

— Continuez, Madame Lola Poor ! dit-il d'une voix lasse.

— Je ne sais pas combien de temps je suis restée à contempler cette baignoire et son contenu. Peut-être une minute. Peut-être plus. Je n'arrivais pas à prendre une décision. Appeler ? Ou bien rentrer dans ma chambre, et attendre... Cet homme qui avait fait tant de mal se trouvait là, devant moi. Mort ! Ou du moins je le pensais ! Et je n'y étais pour rien ! Tout s'était passé sans moi ! J'avais manqué la dernière chance de me racheter ! Voilà ! Je regrettais de ne pas l'avoir tué moi-même. En vérité je ne pensais à rien d'autre... Juliette est arrivée sur les entrefaites. Elle était pieds nus et je ne l'avais pas entendue venir. Elle m'a dit : « C'est vous, Madame Lola ? », et j'ai sursauté. J'avais la gorge tellement nouée que je n'ai rien pu lui dire. Alors je lui ai montré la baignoire et elle a vu. Elle n'a pas poussé de cri. Elle m'a simplement demandé s'il était mort, et je lui ai répondu qu'il était bien mort et qu'il ne la tourmenterait plus. Juliette s'est approchée de la baignoire, tendant la main comme si elle avait voulu toucher le corps. Mais soudain elle a

fait un bond en arrière et elle a crié : « Il bouge ! Il
bouge ! » Moi, je n'avais rien vu. Il était toujours là,
toujours la tête sous l'eau. Il continuait d'être mort,
c'était impossible autrement ! Mais Juliette criait de
plus en plus fort : « Il a bougé ! » Alors j'ai posé la
main sur sa bouche et je l'ai obligée à se retourner
pour qu'elle ne regarde plus dans la baignoire. Elle
s'est calmée peu à peu, et je l'ai laissée. Mais à mon
tour, je n'ai pas pu m'empêcher de regarder : la
mort de Linz n'était pas encore assez réelle. Il n'y
avait peut-être plus rien dans la baignoire. Plus rien
du tout ! Il fallait que je reste là, et que je surveille
cela : après un certain temps, la réalité de ce cadavre
serait vraiment définitive, et d'une certaine manière
j'y aurais contribué. J'ai vu alors ce qui avait fait
crier Juliette. Le corps remontait tout doucement
dans la baignoire. Ce n'était pas une illusion : le
visage commençait à émerger. Mais je n'aurais su
dire si ce mouvement était spontané, ou s'il était
imprimé par un imperceptible remous de l'eau.
Juliette s'était rapprochée. Elle ne disait rien, mais
je l'entendais claquer des dents. Il n'y avait plus
qu'une chose à faire : mort ou vivant, il fallait
enfoncer à nouveau le Dr Linz dans l'eau, et que sa
tête demeurât immergée. Combien de temps s'était-
il passé depuis que j'avais entendu les cris ? Plusieurs
minutes, ou peut-être moins d'une minute... En
vérité je n'en avais pas la moindre idée. Le temps
n'existe plus dans une telle situation. Les événements se succèdent d'instant en instant, sans transi-
tion, mais chacun d'eux ne dure pas moins que
l'éternité ! Alors je ne pouvais pas savoir si Linz était
vraiment mort. Il semblait ne plus respirer, mais est-
ce qu'on ne peut pas vivre encore un certain temps,

156

quand on a cessé de respirer ? Je me suis approchée, et j'ai tendu les deux mains, pour enfoncer le crâne sous l'eau, mais au dernier moment je n'ai pas pu... Je ne pouvais pas toucher cela ! Ce cadavre qui bougeait ! Ce mort vivant !... J'ai regardé autour de moi. J'ai cherché quelque chose, n'importe quoi, qui fasse un poids sur le crâne ! Juliette aussi, cherchait ! Elle ne pouvait pas toucher non plus ce corps. Elle ne pouvait pas poser la main sur cet homme qui gisait dans l'eau, entièrement à notre merci, mais qui semblait indestructible. Est-ce qu'il allait rester là, devant nous, et nous terroriser pour toujours ? Alors j'ai aperçu le sèche-cheveux, branché à la prise du lavabo par une rallonge de fil électrique. J'ai pris l'appareil, je l'ai mis en marche, et je me suis tournée vers la baignoire... Mais à nouveau je me suis arrêtée là, le sèche-cheveux à la main, le bras au-dessus de l'eau, sans pouvoir rien faire, pétrifiée ! Juliette recommençait à crier : « Jetez-le ! Mais jetez-le ! », et j'avais peur qu'on l'entende, mais c'était plus fort que moi, j'ai baissé les bras, le séchoir toujours en main, j'ai simplement baissé les bras, comme je l'avais fait pendant trente ans ! Et je disais à Juliette, peut-être pour qu'elle m'excuse, pour qu'elle me pardonne ma lâcheté : « Je ne peux pas ! Je ne peux pas faire cela ! Je n'y arrive pas ! »

Lola Poor se tut, et porta les mains à son visage, remuant la tête de droite à gauche, lentement, refusant de tout son être les images qui venaient l'assaillir.

— Alors, fit Lester, Juliette vous a enlevé des mains le sèche-cheveux, et elle l'a jeté dans la baignoire.

— Il y a eu un éclair, continua Lola, et la lumière

s'est éteinte. C'était fini ! Juliette s'est approchée de moi, dans le noir, elle m'a pris la main, et elle m'a entraînée dehors... Nous sommes allées dans ma chambre, toujours dans le noir...

La comédienne releva soudain la tête et fixa le policier avec intensité :

— Juliette n'a pas tué, monsieur ! Ce n'est pas une meurtrière ! Elle a fait le noir, vous comprenez ? Elle a jeté l'appareil dans l'eau, et alors toute cette horreur a cessé ! Il n'y avait plus que le noir ! Nous pouvions à nouveau bouger, et respirer ! Plus rien de tout cela n'existait !

— Je comprends, murmura Lester comme malgré lui.

— Mais ensuite, reprit Lola, je me suis souvenue des papiers, des photos, des lettres que le Dr Linz gardait dans sa valise. Il fallait effacer cela aussi. Il fallait tout brûler ! Pour Juliette, et pour moi, et pour tous ceux que ce monstre tenait en son pouvoir !

— Vous êtes donc retournée dans la salle de bains...

— Oui ! J'ai quand même eu ce courage, répondit la comédienne avec un faible sourire. Juliette m'a dit que je trouverais une lampe de poche dans le placard aux balais, et je suis allée dans la salle de bains. J'ai pris le trousseau de clés dans l'imperméable du Dr Linz, puis je suis entrée dans sa chambre.

— Et vous avez découvert le lit éventré, les papiers éparpillés, la fenêtre fracturée...

— J'ai de nouveau pensé que Linz était encore vivant, que rien ne pouvait le tuer, qu'on avait seulement rendue furieuse cette... créature...

— ... d'un autre monde ! fit pensivement le policier.

— Puis je me suis reprise. J'ai songé à la valise et à ce qu'elle contenait.

— Vous l'avez ouverte sans difficulté, car la clé se trouvait sur le trousseau, et vous avez commencé à la fouiller. Mais vous avez été interrompue dans votre tâche par Mme Kuque.

— Ah ? fit Lola, surprise. C'était elle ?

— Et dans un réflexe, vous avez bouclé la porte de la penderie où elle se tenait cachée. Puis vous êtes retournée dans la salle de bains, pour remettre les clés à leur place, où nous les avons trouvées ce matin, et vous êtes rentrée dans votre chambre, où Juliette vous attendait.

— Oui ! Cela s'est passé comme vous dites, et nous avons brûlé les papiers dans la cheminée.

— Entre-temps, vous aviez retrouvé votre sang-froid, et vous avez songé à l'enquête, à la curiosité des policiers, et aux rapprochements que pourraient faire ces maniaques de la coïncidence. Alors vous avez également sacrifié quelques journaux où on parlait un peu trop précisément de votre dernier film, de la mort de votre mari, et d'une certaine statuette qui se trouve encore dans la chambre de Linz, et que plusieurs personnes, ici, risquaient de reconnaître : c'est bien cela ?

— C'est bien cela, répéta docilement la comédienne.

— Mais quelques fragments ont échappé à l'holocauste.

— Juliette voulait descendre à la cave, pour y prendre des bûches, précisa Lola. Mais je lui ai dit que c'était inutile, et que tout avait brûlé.

159

— Vous auriez dû l'écouter, madame. Le papier glacé des magazines se consume généralement fort mal. Et dans l'obscurité qui régnait, vous ne pouviez pas vous assurer que tout avait vraiment disparu.

— Tant pis pour moi ! fit simplement la comédienne.

— Vous ignoriez d'autre part que la valise de Linz comportait un double fond, et qu'il y cachait ses documents, disons, les plus précieux.

Lola haussa les épaules :

— Il n'y a sans doute pas de crime parfait.

— Nous avons failli en avoir un, cette nuit. Mais ce n'était certainement pas le vôtre ! Vous n'avez fait qu'assassiner un cadavre, madame, car même s'il restait une étincelle de vie dans le corps du Dr Linz au moment où vous l'avez découvert, il suffisait de n'y pas toucher, et de laisser la mort achever son œuvre. Mais non ! Il a fallu que vous vous en mêliez, vous et cette malheureuse Juliette ! Et il a fallu que vous brûliez ces journaux ! Mais cela aussi, vous ne l'avez réussi qu'à moitié, et bien loin d'effacer ainsi des indices compromettants, vous m'avez révélé des faits que je n'avais pour ainsi dire aucune chance de découvrir autrement !

Le policier s'était exprimé sur un ton d'agacement : Lola Poor s'appropriait en seconde main, et avec un peu trop d'ardeur, un crime qu'elle avait peut-être médité pendant trente ans, mais qu'elle n'avait finalement pas réussi à commettre. Lester se tourna vers David Weins et son ami Daniel. Les deux jeunes gens ouvraient tout ronds des yeux agrandis par l'angoisse. On aurait dit un couple d' « inséparables » grelottant l'un contre l'autre sous le regard du chat de la maison. Mais l'inspecteur

160

savait maintenant que ces charmantes petites perruches cachaient sous leur bec orange de redoutables
canines de carnivores. Il choisit dans sa poche un
papier où se superposaient d'extravagants griffon-
nages au crayon, à l'encre bleue ou noire, ou même
au bâton de rouge à lèvres. Il ne tarda pas à trouver
dans quel sens il convenait de lire le document :

— Monsieur David Mazu... (c'est un *k*, ça?)!!
Monsieur Daniel Mazurski, je vous accuse d'avoir
prémédité le meurtre de Roger Linz, à l'instigation
et avec la complicité de votre ami, monsieur David
Weins!

— C'est idiot! siffla la plus grande des deux
perruches! Daniel n'a pas tué le Dr Linz!

— C'est ce que nous verrons, dit avec sérénité le
policier. En attendant, nous allons reprendre les
choses par le commencement : hier soir, vous vous
êtes levés de table un peu avant minuit, n'est-ce
pas?

— Daniel était souffrant : nous nous sommes
couchés.

— Daniel allait très bien, rétorqua Lester, et vous
n'êtes pas montés vous coucher... L'un de vous s'est
rendu au village, à cinq cents mètres d'ici, et a
téléphoné au Dr Linz. Il s'est fait passer pour un
amateur d'art précolombien, ou peut-être pour un
candidat au rajeunissement, et il a proposé un
rendez-vous immédiat, disons, à l'aéroport de
Roissy.

— Soit! fit David Weins. Mais nous ne l'avons
pas tué.

— Patience! dit Lester en souriant. Nous y vien-
drons. Pour le moment, le Dr Linz s'apprête à
prendre la voiture de Mme Point. Mais Daniel le

rejoint dans le jardin, et lui fixe un autre rendez-vous, cette fois-ci dans la salle de bains, mettons, vers quatre heures du matin : n'est-ce pas, monsieur Mazurski ?... Et nous savons que la rencontre a eu lieu.

Toute inquiétude avait maintenant disparu du visage d'Adèle Kuque. Ces deux Américains ne lui avaient jamais été bien sympathiques. Comment un homme peut-il vouloir coucher avec un autre homme ? Adèle pensait au fond d'elle-même que le désir sexuel et toutes les contorsions qu'il nous fait faire sont une extravagance de la nature. Elle bénissait le destin qui avait condamné son mari à la laisser tranquille une fois pour toutes. Elle ne gaspillait pas ses forces dans ces pitreries dont une Suzy, par exemple, s'était rendue coupable avec Daniel. Mais elle gardait toute son énergie pour jouir du spectacle qu'on lui offrait à présent, et qui lui faisait presque oublier que le téléviseur était en panne.

Lester, cependant, poursuivait son exposé. Il s'était détourné de Daniel, et de son ami David, dont il ne quêtait certes pas l'approbation. Ses propos, à la rigueur, ne s'adressaient à personne, mais se développaient d'eux-mêmes en s'inscrivant dans le marbre de leur propre nécessité : Lester était de ces hommes rares qui savent que l'âme sera un jour totalement déchiffrée, et qui contribuent à la nettoyer de ses zones d'ombre et de mystère. Le bien, le mal, le juste et l'injuste ne sont que des illusions, des fantômes surgis de l'obscurité qui règne encore largement dans l'esprit humain. Mais tout cela disparaîtra finalement, comme les autres superstitions, et l'humanité pourra disparaître à son tour, ayant accompli sa vocation, qui est de chasser toutes les illusions qui embrument l'existence :

— Donc, vers quatre heures du matin, le Dr Linz rentre aux « Glycines ». Daniel Mazurski l'attend dans le couloir et ne lui laisse pas le temps de déposer son manteau dans sa chambre. Cette chambre, précisément, que David s'apprête à visiter. Daniel entraîne sa victime consentante dans la salle de bains. On se déshabille, on se dit des mots d'amour, on se caresse... Mais passons sur les détails ! Quelques minutes plus tard, le Dr Linz disparaît de l'ordre des batraciens criminels. Fin du voyage, et terminus dans la baignoire !

Cécile et l'inspecteur Lucas se regardèrent abasourdis ! Ainsi, Lola Poor n'avait pas assassiné le Dr Linz ! Ou alors il fallait admettre qu'un même homme peut être tué, peut mourir deux fois ! Mais les deux jeunes gens n'étaient pas au bout de leurs surprises : l'inspecteur Lester s'était à nouveau arrêté devant David Weins, et le considérait avec ironie :

— Bien sûr, vous ne connaissez pas le Dr Buisson. Moi, je le connais depuis vingt ans : un excellent homme, mais le contraire d'un plaisantin. Il a pratiqué l'autopsie de Roger Linz, et ce qu'il vient de m'apprendre ressemble à une farce de carabin : Roger Linz est mort trois fois ! Il a été assassiné trois fois ! Electrocuté, noyé... et empoisonné !

Ces derniers mots semblèrent résonner pendant quelques secondes dans le silence de stupeur qu'ils venaient de susciter. L'inspecteur Lucas secoua la tête, comme pour chasser de l'eau de ses oreilles.

Daniel Mazurski s'était brusquement levé, et s'écriait :

— C'est pour cela qu'il ne m'a pas résisté davantage ! Il se débattait, j'ai même cru qu'il allait ressortir la tête de l'eau, et puis tout d'un coup, plus rien ! Il s'affaisse ! Comme mort !

— Vous voyez bien ? renchérit David. Nous ne l'avons pas tué ! Le cœur a lâché ! Nous sommes innocents !

Le jeune homme s'exprimait avec une force de conviction qui aurait fait acquitter Barbe-Bleue ou Jack l'Eventreur par un jury de militantes féministes.

— Le cœur a lâché, répéta Lester en s'esclaffant : nous sommes d'accord là-dessus. Mais le médecin légiste est formel : il est impossible de déterminer si cet arrêt cardiaque est consécutif à la noyade, à l'électrocution, ou à la présence dans l'organisme d'une certaine substance, dont une seule goutte provoque immanquablement une embolie mortelle quelques heures après son ingestion.

Le policier reprit sa promenade dans la pièce, de long en large, apparemment sans but. Cécile suivait ses mouvements avec anxiété, comme un joueur accompagnant des yeux les rebonds de la bille sur la roulette.

— Il me semble que, cette nuit, le Dr Linz n'avait guère de chances d'échapper à son destin, fit Lester sur un ton d'ironie : la noyade, la baignoire électrique, et le poison. Nous avons le choix, et j'ai l'intention de choisir ! Voici quelques années, peut-être aurais-je trouvé quelque plaisir à démasquer trois, et même quatre assassins pour un seul cadavre. Mais j'ai aujourd'hui une plus sûre idée de l'ordre, qui s'accorde mal avec une telle redondance. Et puisque nous sommes entre nous, pour ainsi dire en famille, profitons de cette intimité pour régler cette affaire aux moindres frais ! J'ai devant moi trois, et même quatre, et même cinq assassins, mais je n'en garderai qu'un seul pour les juges et pour ma satisfaction personnelle : Aussi ne veux-je pas de la malheureuse Juliette. Qu'a-t-elle fait au juste ? Achevé le geste de quelqu'un d'autre, un peu comme elle lui aurait soufflé le mot pour terminer sa phrase. Ce n'est pas commettre un meurtre, cela ! C'est un acte purement irréfléchi : ce n'est rien à la rigueur ! Mais si Juliette n'est pas coupable à mon gré, Mme Lola Poor l'est encore moins, quand bien même la mort de Linz serait imputable à l'électrocution plutôt qu'à la noyade ou au poison, ce qui ne sera jamais démontré. Quant à Daniel Mazurski et à son ami David, je n'en veux pas davantage ! Vous avez réellement noyé Linz dans son bain ? Soit ! Mais ce meurtre ne m'intéresse pas. Je vous le laisse. Vous ne vous en tirerez pas avec la gloire douteuse d'un grand procès d'Assises ni avec la satisfaction perverse d'avoir réalisé un crime parfait. Je vous restitue votre vilain petit meurtre M. Weins, comme les éditeurs ont déjà dû vous renvoyer quelques-uns de vos manuscrits. Refusé ! Recalé ! Trop de mise en scène, trop de passion, trop de complications surtout ! Un meurtre, messieurs, ne gagne rien à naître du délire de l'imagination. Un beau meurtre, si j'ose dire, doit se construire avec le plus grand souci de l'économie, tout comme une œuvre d'art. Vous écrivez des livres surtout dans votre tête, monsieur Weins, et je crois que sur le papier vos romans ne vaudraient rien si un jour vous veniez à les publier. En tout cas je ne les lirais pas!

Lester observa un instant de silence, et vint s'immobiliser devant Suzy. Cécile saisit l'inspecteur Lucas par la manche de sa veste, et retint son souffle.

— Il ne me reste plus qu'un coupable à désigner, reprit Lester, et ce sera vous, madame Suzy Point! Vous qui tuez pour de l'argent, tout simplement! Vous qui versez le poison au compte-gouttes, posément, sans passion, un peu comme vous donneriez du lait à votre chat : puisqu'il me faut choisir, c'est vous, madame, que je choisis!

Cécile se jeta dans les bras de Lucas, éclatant en sanglots.

— Ce n'est pas possible! Ce n'est pas maman!

Mais Lester poursuivait :

— Le poison qui a tué Linz, madame, vous en connaissiez l'existence et les effets. Votre fille, fort innocemment d'ailleurs, nous l'a révélé tout à l'heure : vous saviez ce que contenait la statuette du *Seigneur de la Nuit*. Vous aviez vu le flacon d'améthyste, et le poison. Vous en connaissiez également le mode d'emploi : une seule goutte, et c'est la mort subite, mais seulement après quelques heures et d'habitude sans la moindre trace. Une embolie! Mort banale! Nul ne trouverait à y redire! Seulement voilà! Vous avez eu la main un peu lourde, pour plus de sûreté sans doute, et des traces de poison sont demeurées dans l'organisme.

Suzy avait pâli, mais elle soutenait sans ciller le regard du policier :

— Et pourquoi serait-ce moi? Je ne suis pas la seule à avoir vu ce flacon.

166

— En effet : il y avait votre fille, et puis ce pensionnaire amateur d'art, et votre amie Adèle. Mais vous seule aviez une raison de tuer M. Linz. C'est à vous qu'il avait prêté de l'argent ! Une grosse somme d'argent ! Et que vous ne songiez certainement pas à lui rendre.

— Vous oubliez une chose, commissaire !

— « Inspecteur », madame ! « Inspecteur principal adjoint » ! fit Lester avec un sourire où l'ironie l'emportait sur la modestie.

— « Gardien de square », si vous voulez ! Je ne pouvais pas empoisonner M. Linz, car la statuette se trouvait dans sa chambre. Il avait fait blinder sa porte et je n'en avais pas la clé.

— Très juste ! Nous avons retrouvé les trois clés de cette porte. L'une dans les vêtements de la victime, et les deux autres cachées dans le double fond de sa valise... Vous êtes entrée dans la chambre, et vous avez prélevé quelques gouttes de poison, mais n'êtes pas passée par la porte.

Albin Kuque cria soudain : « Au secours ! », très distinctement, et tous les regards se tournèrent ensemble vers lui. Mais l'infirme avait déjà repris le cours paisible d'un sommeil doucement rythmé par un ronflement profond et régulier.

— Ce n'est rien ! commenta sans émotion Adèle. Il fait des cauchemars.

— Ça ne m'étonne pas, fit pour lui-même l'inspecteur Lester.

Suzy se tenait le buste bien droit contre le dossier de son fauteuil. Elle fixait maintenant le policier d'un regard de défi :

— Mais si je ne suis pas passée par la porte, il a fallu que je force la fenêtre, n'est-ce pas ?

— Si vous aviez fait cela, vous auriez éveillé les soupçons de Linz : on peut ouvrir une porte ou une fenêtre en la forçant, mais on l'abîme, et ensuite on ne peut plus la refermer.

— Alors je ne suis pas entrée du tout ! s'esclaffa Suzy.

— Quelqu'un est entré, madame, et ce ne peut être que vous.

— Vous l'avez déjà dit !

Mais l'inspecteur Lester pouvait répéter le même argument vingt fois de suite sans se lasser ni perdre son sang-froid. Il ne lui suffisait pas de découvrir le coupable et d'accumuler contre lui les preuves et les témoignages : il lui fallait surtout le confondre. Le terrasser par le fer de la logique ! L'amener à reconnaître lui-même sa défaite !

— Vous aimez les chats, n'est-ce pas ? fit doucement le policier.

Le défi, dans les yeux de Suzy, fit place à la surprise et à l'inquiétude, comme si son adversaire, par une feinte encore inédite, avait fait en sorte de se placer soudain derrière elle.

— Vous avez un très bel animal. C'est un « sacré de Birmanie », je crois.

— C'est une chatte. Elle a dix-huit ans ! dit machinalement Suzy, qui échouait à deviner d'où le prochain coup allait partir.

— C'est un âge vénérable, apprécia Lester. Et si je ne me trompe, il y a dix-huit ans, vous dormiez dans la chambre qui est devenue ensuite celle de M. Linz.

— Oui ! fit Suzy dans un souffle.

Le coup l'avait atteinte, et la blessure était mor-

168

telle. Mais ni Lucas, ni Cécile, ni les autres n'auraient su dire pourquoi elle pâlissait ainsi.

— Vous aviez fait aménager une chatière dans la porte, une autre dans la fenêtre, et une autre encore dans le volet, pour que votre petite compagne pût aller et venir à sa guise, la nuit aussi bien que le jour. Par la suite, l'orifice qui se trouvait dans le bas de la porte a été bouché par le blindage. Mais celui de la fenêtre et celui du volet existent encore. Je viens de le vérifier.

Lester eut un gloussement de satisfaction. Il avait bien failli ne jamais la voir, cette petite trappe dans la fenêtre, et finalement ne rien comprendre à cette affaire !

— On ne fait jamais attention à ces détails, reprit-il. Mais vous, si ! Vous êtes une personne attentive et soucieuse du bien-être de votre chat. Je suis sûr que rien ne vous échappe.

— Qu'est-ce que c'est que toute cette histoire ? s'esclaffa Suzy. Vous vous intéressez aux animaux ?

Mais l'ironie était devenue bien vaine. Et Suzy aurait pu sortir un revolver, ou bien s'enfuir, elle n'en aurait pas moins perdu la partie.

— J'ai fait à l'instant une petite expérience, exposa le policier. Vous voyez mon bras ? Il est plus gros que le vôtre, n'est-ce pas ? Cela ne m'a pas empêché de passer par le même chemin que vous.

— Quel chemin ?

— Vous le savez aussi bien que moi, madame.

Lester quitta Suzy et s'approcha de son adjoint, qui s'employait à réconforter Cécile et la retenait de se jeter sur l'homme qui accusait sa mère.

— Vous avez eu ce matin une remarque très judicieuse, mon cher Lucas : le Dr Linz avait fait poser une vraie porte de coffre-fort pour protéger sa chambre, mais il avait tout à fait négligé la fenêtre. Sans doute cherchait-il moins à se prévenir des voleurs qu'à décourager les indiscrets. La suite de l'enquête a confirmé cette hypothèse, et je dois dire que les fenêtres, les portes, les serrures ont, à la fin, cessé de m'intéresser. Mais tout à l'heure, apprenant que le Dr Linz avait absorbé le poison du *Seigneur de la Nuit* j'ai réalisé que la solution de cette nouvelle énigme devait nécessairement passer par la porte, si j'ose dire, ou du moins par une fenêtre. Mme Lola Poor ou Juliette étaient les deux seules personnes susceptibles d'entrer sans effraction et sans mystère dans la chambre de Linz. La première, du fait de son ancienne intimité avec la victime. La seconde, tout bonnement pour faire le ménage. Mais Juliette ignorait ce que recelait le *Seigneur de la Nuit*. Et l'aurait-elle appris, qu'elle n'avait guère la possibilité matérielle de prendre la statuette, de l'ouvrir, de prélever le poison, puisque Linz ne la laissait jamais seule dans la chambre. Admettons cependant qu'elle ait découvert le poison, et qu'elle l'ait utilisé ! Qu'allait-elle faire alors cette nuit dans la salle de bains ? Linz n'avait pas besoin de cela pour mourir ! Quant à Lola Poor, l'affaire du sèche-cheveux la disculpe également. Pourquoi aurait-elle commis, avec ou sans l'aide de Juliette, un geste aussi imprudent, alors qu'elle savait que Linz, noyé ou pas, expirerait à coup sûr, d'une minute à l'autre, victime du poison ? David et Daniel sont à éliminer pour les mêmes motifs. Restent Mme Suzy Point, et Mme Adèle Kuque. J'avoue que j'ai hésité un moment entre les deux. Mme Kuque n'a-t-elle pas visité la chambre de Linz pour dérober la reconnais-

sance de dette de son amie ? Mais ce geste, justement, tendrait plutôt à la disculper. Si elle avait fait
absorber le poison au Dr Linz, pourquoi se serait-
elle donné le mal de le cambrioler ? Il était plus
simple d'attendre tranquillement sa mort, qui avait
toute chance de passer pour naturelle, et de récupérer ensuite le papier compromettant. Toutefois,
j'imagine volontiers qu'une personne impatiente,
impulsive, d'un caractère, disons agressif, pouvait ne
pas attendre la disparition de sa victime pour régler
tous ses comptes avec elle... et nous savons que
Mme Kuque n'est pas une femme très patiente, ni
d'un caractère bien agréable. C'est donc pour une
autre raison que j'ai cessé de la suspecter : la
personne qui a administré le poison au Dr Linz a
pénétré dans sa chambre sans effraction, quelques
heures, vraisemblablement, ou quelques jours avant
le meurtre, afin de prélever une ou deux gouttes de
la substance mortelle. Or, la nuit dernière, Adèle
Kuque est entrée chez M. Linz, mais en laissant
quelques traces de son passage, et je suppose que si
elle s'est montrée si peu discrète, c'est qu'elle ne
pouvait pas faire autrement : Mme Kuque a forcé le
volet et la fenêtre de la chambre de Linz parce
qu'elle ignorait qu'on pouvait passer aisément le
bras dans les deux chatières, celle du volet et celle de
la fenêtre, atteindre la crémone par cette voie, et
ouvrir la fenêtre de l'intérieur. C'est vous, Madame
Point, qui connaissiez ce passage, et qui l'avez
emprunté pour accéder à la statuette et au poison.
Vous pensiez ainsi commettre un crime parfait, et
vous avez été bien près d'y parvenir : nulle trace de
votre petite visite dans la chambre. Nulle trace de
poison dans le corps de la victime... du moins vous

l'espériez! Mais vous êtes prévoyante, madame, ou plutôt vous pensez l'être! Vous faites ouvrir dans les fenêtres des chatières pour le chat, vous avez de beaux vases pour les fleurs et de beaux napperons pour les vases, vous ne manquez jamais de sucre, ni de riz, ni de sel, et pour plus de sûreté vous allez administrer deux gouttes de poison à M. Linz plutôt qu'une. Mais ainsi vous laisserez votre signature... Vous pensiez vous montrer prudente, mais cette goutte de trop, madame, était bien téméraire en vérité. J'y vois votre désir de réussir à coup sûr, et d'enlever à votre victime — sait-on jamais? — jusqu'à la moindre chance d'échapper au destin que vous lui aviez préparé... J'ai beaucoup de meurtriers pour un seul cadavre, et de tous, madame, c'est vous que je préfère. Vous êtes de la meilleure race des assassins. Pas une aventurière, à la manière du Dr Linz qui laisse décidément trop de désordre derrière lui, et qui fait blinder sa porte en oubliant qu'on peut aussi passer par les fenêtres. Vous, vous êtes silencieuse, discrète, méticuleuse. Vous aimez les chats pour cette raison. Mais c'est ce qui vous perd. A ne rien laisser au hasard, on taquine un peu trop la chance, et elle se venge. Des trois morts du Dr Linz, le médecin légiste ne peut pas décider laquelle est la bonne. Eh bien, je vous le dis, madame, quant à moi je choisis!

Lester était revenu près de Suzy, et la considérait sans agressivité ni haine. Comment pourrait-on haïr une personne que l'on comprend si bien? Suzy se leva lentement, s'apprêtant à suivre le policier. Elle non plus, ne le haïssait pas. Ils se connaissaient depuis si longtemps! C'est en songeant sans cesse au policier, en imaginant ses interrogations, en s'efforçant de le précéder pour ainsi dire dans chacun de ses raisonnements, que Suzy avait conçu et préparé son crime. De même, c'est en suivant pas à pas la démarche de la meurtrière, en revivant avec elle la préparation et l'exécution de son forfait, que Lester avait pu la démasquer. Le policier et l'assassin sont depuis toujours un peu complices.

Cécile s'était effondrée dans les bras de Lucas, qui répétait pour lui-même : « Je croyais que j'avais tout compris ! » Lester avait pris sur le dossier du fauteuil le cardigan de laine de Suzy, et l'aidait à l'enfiler. On aurait pu croire que les deux adversaires allaient sortir bras dessus bras dessous, comme les meilleurs amis du monde, quand une sorte de gloussement se fit entendre :

— Ce n'est pas Suzy ! C'est Adèie ! ricanait Albin Kuque qui s'était sans doute réveillé depuis quelques instants. Hier soir, elle a versé le poison dans le cognac de Linz ! Ici même ! Elle croyait que je dormais, mais je ne dors jamais !

L'infirme désignait de la main le petit meuble vitré contenant les bouteilles d'alcool. Adèle avait bondi hors de son fauteuil, et s'avançait, menaçante, vers son mari. Lester eut tout juste le temps de s'interposer. Lucas s'était levé à son tour. Il reconduisit Adèle dans son fauteuil en la tenant fermement par les épaules.

Albin baissa lentement les bras, qu'il avait croisés sur sa tête pour se protéger d'Adèle, puis il reprit :

— Depuis ce matin j'essaie de le dire, que c'est une empoisonneuse, mais personne ne veut me croire ! Il est gâteux le vieux Kuque ? Eh bien, vous allez voir si je suis gâteux !

— Nous allons voir... ne put que répéter Lester, abasourdi.

Suzy s'était rassise dans son fauteuil, également interdite. Cécile avait soudain cessé de pleurer, et considérait Albin avec une joyeuse stupéfaction.

— Hier soir, Adèle m'a fait sortir de table juste avant le dessert, sous prétexte que je ronflais. Mais je ne dormais pas. M. Weins et son petit ami n'étaient plus dans la salle à manger. Je savais qu'ils étaient montés soi-disant pour se coucher. Et je les avais vus ressortir dans le jardin, cinq minutes plus tard. Je sais tout, moi ! M. Linz avait également quitté la table. Je l'entendais qui allait et venait là-haut, dans sa chambre... Adèle m'a emmené dans le salon. En traversant le vestibule, nous avons rencontré M. Linz, qui descendait l'escalier son imperméable à la main. Adèle lui a dit qu'on allait boire le champagne et qu'il aurait dû rester quelques minutes de plus. M. Linz a répondu qu'il n'aimait pas le champagne. (Je le savais, moi : depuis vingt ans qu'il habitait la pension, il refusait toujours d'en boire.) Alors Adèle lui a proposé un cognac, et finalement M. Linz a laissé son imperméable dans le vestibule, et il est retourné s'asseoir dans la salle à manger. Adèle m'a poussé dans le salon, à côté du meuble aux alcools. Elle en a sorti un verre à cognac et la bouteille. Je l'observais, mine de rien. Je faisais semblant de dormir. Avec elle, je fais toujours semblant de dormir. C'est autant d'insultes qu'elle n'a pas l'occasion de me dire. Je ferme les yeux, mais pas tout à fait. Je laisse une petite fente, entre mes paupières, pour la surveiller. C'est que parfois, quand elle est de mauvaise humeur, elle essaie de me jouer des tours, j'en suis sûr, elle essaie de me pousser dans les escaliers, ou bien elle me laisse tout près du feu, en se disant que les flammes finiront un jour par atteindre ma couverture.

— Pendant que vous êtes encore en vie, l'interrompit Lester, pourriez-vous revenir à M. Linz ?

— Ah ! Celui-là, elle ne l'a pas raté ! fit l'infirme sur le ton du connaisseur. Elle avait versé le cognac dans le verre et remis la bouteille en place, mais je voyais bien que quelque chose n'allait pas. Elle restait là, le verre à la main, et elle avait ce drôle de sourire qui lui découvre sa dent en or quand elle prépare un mauvais coup. Elle a posé le verre, et elle a gagné le vestibule. Là, elle a fouillé dans l'imperméable de M. Linz, elle a pris son trousseau de clés, puis elle est montée au premier. Quand elle est rentrée dans le salon, j'ai vu qu'elle tenait un petit flacon, à moitié plein d'un liquide noir. Elle a ouvert le flacon, et elle a versé une goutte de ce liquide dans le verre de M. Linz : cela faisait comme un point noir dans le cognac. Alors elle a agité le verre, et la goutte de poison s'est dissoute. Puis elle a posé le verre, et elle a regardé le flacon pendant un bon moment, l'air de ne pas trop savoir ce qu'elle allait faire ensuite. Je crois qu'elle avait bien envie de m'offrir ma dose, à moi aussi. Mais elle a dû penser que ça pouvait attendre, et finalement elle est ressortie, le flacon toujours à la main, et je l'ai vue qui prenait l'escalier. Une minute plus tard elle redescendait, et remettait les clés dans l'imperméable de M. Linz. Enfin elle est revenue prendre le verre, et elle a rejoint les autres dans la salle à manger.

L'inspecteur Lester sortit de sa poche une petite fiole, munie d'un compte-gouttes.

— Est-ce que vous reconnaissez le flacon ?

— Parfaitement ! Tout à l'heure, je vous ai vu mettre cette cochonnerie dans votre nez, quand vous pensiez qu'on ne vous regardait pas !

Le policier eut un sourire, rangea les gouttes nasales dans sa poche, puis montra le flacon d'améthyste.

— Et cette fois ?

— C'est bien celui-ci !

— Et cela faisait un point noir dans le cognac ?

— Comme le germe, dans un jaune d'œuf.

Lester prit un verre dans le meuble aux alcools, l'emplit de cognac, ouvrit la fiole de poison et en versa une goutte dans le verre. Celle-ci ne se mélangea pas immédiatement à l'alcool, faisant une petite tache noire à la surface du liquide. De la main, Albin Kuque montra comment Adèle avait agité le verre. Lester imprima de la même manière un léger mouvement au liquide, et le poison disparut aussitôt dans le cognac. Lester reposa le verre.

— Vous détestez votre femme, et vous l'accuseriez de n'importe quoi... mais vous n'avez pas pu inventer cette histoire.

— Vous n'êtes pas obligé de me croire, j'ai l'habitude ! persifla l'infirme, à présent très sûr de lui.

— Contre les faits, les simples faits, grommela Lester, le meilleur raisonnement ne pèse pas lourd !

Le policier s'exprimait sur un ton de déception et de mauvaise humeur. Adèle était coupable, cela ne

faisait aucun doute. Albin l'avait surprise en fla-
grant délit et l'on n'y pouvait rien changer.

— Il me fallait une empoisonneuse, reprit Lester,
et l'on vient de me la donner. Je n'en veux pas
d'autre. Une cour d'assises n'en voudrait pas davantage.

— J'attends vos excuses, inspecteur, claironna
noblement Suzy.

Elle s'était levée de son fauteuil et se tenait face
au policier, qu'elle toisait d'un regard sévère et
grave.

— Madame, ne m'en demandez pas trop ! s'écria
Lester.

Suzy se rassit, décontenancée. Est-ce que cet
homme allait lever la main sur elle ? On dit que les
policiers sont des gens brutaux !

Mais Lester tournait déjà le dos à Suzy. Il n'avait
pas le goût de l'échec. Cette femme l'insupportait.
Elle avait décidément trop de chance !

— Je vous attends dans la voiture, dit-il en
passant devant Lucas. N'oubliez pas d'emmener
Mme Kuque : avec tous ces rebondissements, on ne
sait plus où on en est !

— J'ai suivi toute l'histoire, patron !

— Bravo ! fit Lester.

Et il sortit du salon.

Cécile s'était levée de sa chaise. Elle regardait sa
mère avec tendresse, et murmurait pour elle-même :

— Maman n'aurait jamais pu faire une chose
pareille ! Moi, je le sais ! Je la connais !

— Le patron est comme ça ! dit Lucas comme en
s'excusant. Quand il suit une idée, il n'aime pas la
lâcher.

— Et il se trompe ! persifla la jeune fille.

— Peut-être, fit rêveusement Lucas. C'était tout de même une belle idée !

— Ah ! Vous trouvez ! s'écria Cécile.

— Je veux dire... dans l'abstrait, bredouilla le policier.

Il préféra quitter la jeune fille et s'occuper d'Adèle : encore un mot malheureux, songeait-il, et Cécile ne voudrait certainement plus dîner avec lui ce soir !

CHAPITRE XXI

L'inspecteur Lucas avait pris place à l'arrière de la voiture, à côté d'Adèle Kuque. Lester conduisait. Depuis qu'on avait quitté « Les Glycines » il n'avait pas ouvert la bouche. Adèle non plus, ne parlait pas. Sa défaite l'avait anéantie d'un coup. Elle fixait la route toute noire, par la vitre. Ça lui était bien égal de finir ses jours en prison. Mais Albin restait derrière elle ! et Suzy ! Et « Les Glycines » ! Elle aurait voulu mettre le feu à tout ça !

— Je n'ai pas pu me tromper à ce point ! fit à la fin Lester. Cette femme est entrée chez Linz de la façon que j'ai décrite, et elle a pris le poison comme je l'ai dit !

— Allons, patron ! dit Lucas. Vous aviez déjà au moins deux assassins de trop. N'en cherchez pas un troisième !

— Un meurtre au poison peut en cacher un autre, grommela Lester. On ne m'ôtera pas de l'esprit que cette Suzy Point a bel et bien empoisonné Linz. Seulement voilà ! Son crime est caché, et bien caché, derrière celui d'Adèle Kuque. Elles ont utilisé la même substance. Il y en a seulement une goutte de trop, celle de Suzy. Et cela, je n'ai aucun moyen de le prouver. Absolument aucun moyen !

Lester préféra penser désormais à la petite Nathalie, qui lui avait offert un stylo et qui l'attendait au restaurant.

Aux « Glycines » tout le monde restait comme hébété par ce qui venait d'arriver. Cécile était venue s'asseoir près de sa mère, mais elle ne trouvait rien à lui dire. Sans doute craignait-elle d'avoir à parler de ces deux policiers que Suzy ne portait certainement pas dans son cœur. Mais c'était injuste, songeait la jeune fille, car Lucas n'avait jamais rien dit contre sa mère.

Pendant que Cécile, toujours silencieuse, défendait le jeune inspecteur dans la discussion imaginaire qu'elle tenait avec maman Suzy, les deux Américains se levèrent de leurs chaises, et gagnèrent l'escalier comme des somnambules. Cécile les regarda passer devant elle, machinalement. Elle n'avait vu David Weins qu'une seule fois avant ce jour, et elle n'avait pas remarqué à quel point il était grand et maigre. Perché sur ses trop longues jambes, il avait des gestes incertains de funambule et promenait autour de lui le regard méprisant d'une autruche. Cécile, qui était blonde, vive, et petite comme sa mère, croyait depuis toujours que les gens trop grands étaient un peu bêtes, traînant leur longue carcasse comme un chien à qui l'on aurait attaché une casserole à la queue.

Suzy les regarda disparaître dans l'escalier, et hocha la tête :

— Je leur préparerai la note pour demain. Je ne garde pas chez moi des assassins !

Puis ses yeux se posèrent sur Juliette, qui se tenait debout, près de la cheminée, et semblait attendre les ordres de la patronne, ou peut-être son verdict. Elle ferait ce qu'on lui dirait, Juliette. Elle partirait tout de suite si on le lui ordonnait. Elle mettrait dans la petite valise de plastique ses deux robes, son tablier, la photo de Michael Jackson, et elle irait frotter les parquets ailleurs. Suzy haussa les épaules et se désintéressa de Juliette : il fallait vraiment une Adèle Kuque, pour se mettre en colère contre une aussi pauvre fille !

Lola Poor n'avait pas quitté le canapé. Nul n'aurait su dire si elle avait suivi les derniers développements de l'enquête et l'arrestation d'Adèle. Elle demeurait immobile, les mains croisées sur les genoux, le visage impassible, les yeux fixant le vide. La vie l'avait à nouveau quitté pour trente ans. Une indifférence glacée semblait l'avoir saisie. Suzy avait posé les yeux sur elle, par curiosité plutôt que par sympathie, mais elle les détourna aussitôt : cette formidable absence, sur le canapé, devant elle, lui faisait un peu peur.

Albin, dans son fauteuil, ronflait à nouveau paisiblement. Cécile le considéra avec sympathie :

— Eh bien ! fit-elle. Pour quelqu'un qui ne dort jamais...

— Il ne dort pas toujours, observa Suzy. C'est l'essentiel !

— Sans lui...

— Qu'est-ce que nous allons en faire ? se

demanda Suzy. Nous pourrions l'installer ici, en attendant une solution.

C'était bien la moindre des choses, pour celui qui venait de la sauver !

— Juliette, vous mettrez le lit pliant dans la cuisine, pour M. Kuque !

— Bien, madame ! fit celle-ci en sursautant.

Pendant longtemps encore elle aurait peur, la malheureuse Juliette ! Peur de tout et de rien ! Une feuille morte soulevée par le vent lui ferait palpiter le cœur. Un imperceptible grincement du plancher lui glacerait le sang. Elle n'en aurait pas fini de sitôt de chasser les fantômes de sa tête ! Elle se rendit auprès d'Albin Kuque et poussa le fauteuil vers le vestibule et la cuisine : elle savait que la patronne n'aimait pas le désordre, ni les fauteuils d'infirme au milieu de son salon.

Cécile alla chercher son blouson, et revint auprès de sa mère, pour l'embrasser.

— Tu t'en vas déjà ? Quelqu'un t'attend ?

— Oui !

— Tu me laisses toute seule, après toutes ces émotions ?

Suzy avait un ton de reproche.

— Tu n'es pas seule, maman.

La jeune fille désignait de la tête la comédienne, sur le canapé.

— Oh, si ! soupira Suzy.

La patronne des « Glycines » considérait avec amertume son grand salon vide. En moins de vingt-quatre heures, le monde avait vraiment trop changé autour d'elle. La petite famille n'existait plus.

— J'irai peut-être vivre à Paris. Pour être plus près de toi!

— On se verra tous les jours, promit étourdiment la jeune fille.

Suzy haussa les épaules. Elle n'irait sûrement pas s'installer à Paris. A quoi bon rêver? Elle ne dirait jamais à sa fille, ni à personne, tout ce qu'elle aurait eu envie de lui confier ce soir. Il lui faudrait garder ses secrets!

— Avec qui sors-tu? demanda maman Suzy.

La jeune fille se troubla.

— Quelqu'un que je connais? questionna encore Suzy.

Elle réfléchit un instant, puis réalisa:

— Si c'est ce jeune inspecteur, je ne t'approuve pas! fit-elle d'une voix sévère.

Cécile se pencha vers sa mère et l'embrassa, enjôleuse.

— Il n'est pas comme l'autre, maman! D'ailleurs, quand l'inspecteur Lester t'a mise en cause, il n'y comprenait rien. Cette histoire de chatière, c'est vraiment grotesque!

Suzy prit Cécile par les épaules et la serra contre elle.

— De toute façon, sourit-elle, tu te passes de mon avis, n'est-ce pas?

La mère et la fille restèrent embrassées pendant quelques secondes. Puis Cécile se dégagea, et sortit son foulard de la poche du blouson.

— Il ne fait pas du tout flic, tu sais? Il est entré dans la police tout à fait par hasard. A quinze ans il volait des mobylettes, et il s'est fait prendre. Le policier qui lui a mis la main dessus s'appelait Lester.

Et au lieu de l'envoyer devant le juge, il lui a dit :
« Si tu veux, je te forme. Je fais de toi un flic. »

— C'est tout à fait sa théorie, s'esclaffa Suzy. Les
malfaiteurs et les policiers sont de la même
confrérie !

La jeune fille prit une bûche et la posa dans la
cheminée. De belles et joyeuses flammes s'élevèrent
aussitôt. Cécile s'en irait ce soir en laissant à sa mère
ce petit viatique : un joli feu dans la cheminée.

— Je n'aime pas beaucoup ces gens, reprit Suzy,
avec leur façon de vous harceler et de fouiller dans
votre vie. A la fin ils vous feraient presque dire ce
qu'ils veulent. Ils arriveraient même à vous le faire
croire.

Cécile ouvrit la grosse boîte de chocolats qui se
trouvait sur la cheminée. Elle choisit un chocolat, et
présenta la boîte à Suzy. Celle-ci prit une truffe
entre le pouce et l'index, puis se ravisa, fronçant les
sourcils.

— Où as-tu trouvé cette boîte ? fit-elle d'une voix
que l'angoisse étranglait soudain.

Cécile allait porter le chocolat à sa bouche.

— C'était dans la chambre de M. Linz. L'un des
policiers me l'a donnée.

Suzy se leva brusquement, saisit le chocolat que
tenait la jeune fille, lui arracha la boîte des mains, et
jeta le tout dans la cheminée. Puis elle se rassit sans
rien dire, l'air embêté. Cécile se tenait devant sa
mère, la main toujours à la hauteur de la bouche,
pétrifiée dans le geste qu'elle n'avait pas eu le temps
d'achever. La boîte de carton et d'aluminium, dans
la cheminée, se recroquevillait doucement sur elle-
même. Dans une minute il n'en resterait plus la
moindre trace.

— Maman, ce n'est pas vrai... balbutia Cécile. Tu n'as quand même pas...

Mais les mots ne lui vinrent pas. Elle regarda ses doigts légèrement maculés de chocolat, puis elle recula lentement vers le vestibule, oubliant son foulard sur la cheminée.

Suzy s'était levée. Elle s'approcha du meuble aux alcools, pour ranger la bouteille de cognac. Elle semblait avoir oublié tout à fait la boîte de chocolats, et M. Linz, et toute cette vilaine histoire. Mais sa fille l'inquiétait. Depuis qu'elle habitait toute seule à Paris elle n'en faisait plus qu'à sa tête. Dieu sait quelles fréquentations elle pouvait avoir ! Et ce jeune policier en blouson de cuir ! Un ancien voleur de mobylettes ! Un délinquant ! D'ailleurs il en avait bien l'allure !

— Tu le connais à peine, ce garçon, soupira Suzy. Et tout de suite un rendez-vous !

Elle souleva le napperon qui se trouvait sur le poste de télévision, et rectifia sa position.

— Je suis peut-être vieux jeu, poursuivait-elle, mais de mon temps, on ne sortait pas avec n'importe qui !

Elle prit le cendrier de Lola Poor et le vida dans la cheminée.

— On avait un fiancé, on attendait qu'il se fasse une bonne situation, et on se mariait avec lui. Ton malheureux père, par exemple...

Suzy s'interrompit un instant, et soupira. Elle disait « ton malheureux père », ou « mon malheureux mari », et elle avait un petit serrement de cœur, chaque fois qu'elle pensait à ce pauvre Fernand Point ! De quoi était-il mort au juste. Elle ne se rappelait plus très bien. Un accident. Une sorte d'intoxication. D'ailleurs il n'avait pas de santé. Il devait prendre un médicament tous les jours. A trente-cinq ans ! Et elle, Suzy, s'était sans doute trompé de flacon. Elle ne l'avait pas fait exprès ! Pas vraiment ! En toute sincérité, elle n'avait pas cru que son « pauvre Fernand » mourrait si facilement, et de si bonne grâce !

— Ton malheureux père, reprit-elle, m'a fait la cour pendant six mois avant que je consente à dîner seule avec lui...

Elle s'interrompit à nouveau, voyant bien que sa fille ne l'écoutait pas... Ne lui avait-elle pas déjà conté cent fois la belle histoire de ses fiançailles avec Fernand Point ? Une histoire qui s'étoffait et s'embellissait encore d'année en année ! (mais il n'y a pas de mal à mentir un peu, quand c'est pour l'édification d'une jeune fille).

Elle remit à leur place, devant le poste de télévision, les chaises rustiques et le fauteuil Louis-Philippe. Puis elle ronchonna, mais gentiment :

— Inspecteur de police ! Qu'est-ce que c'est que ce métier ? Tu trouves que ça fait bien, sur une carte de visite ?

Cécile se tenait sur le seuil et regardait sa mère avec ébahissement, sans pouvoir s'en aller, sans pouvoir rien dire non plus, et sans savoir s'il fallait éclater de rire ou éclater en sanglots. Suzy se tourna vers elle et lui dit avec un sourire malicieux :

— Tu me vois, moi, avec un gendre policier ?

DU MÊME AUTEUR

Romans

B COMME BARABBAS, Gallimard, 1967

L'IRRÉVOLUTION, Gallimard, 1971 (Prix Médicis)

LA DENTELLIÈRE, Gallimard, 1974 (Prix Goncourt)

SI ON PARTAIT, Gallimard, 1978

TENDRES COUSINES, Gallimard, 1979

L'EAU DU MIROIR, Mercure de France, 1979

TERRE DES OMBRES, Gallimard, 1982

JEANNE DU BON PLAISIR, Denoël, 1984

Série Inspecteur Lester

TROIS PETITS MEURTRES... ET PUIS S'EN VA,
Ramsay, 1985

MONSIEUR, VOUS OUBLIEZ VOTRE CADAVRE,
Ramsay, 1986

L'ASSASSIN EST UNE LÉGENDE, Ramsay, 1987

LES PETITES ÉGARÉES, Ramsay/Denoël, 1988

Impression Bussière à Saint-Amand (Cher),
le 10 juillet 1989.
Dépôt légal : juillet 1989.
1ᵉʳ dépôt légal dans la collection : mai 1989.
Numéro d'imprimeur : 8977.

ISBN 2-07-038150-1./Imprimé en France.
(Précédemment publié au Mercure de France
ISBN 2-7152-1369-7.)